JAEGER

TAMOYO

A ilustração acima provém de uma
antiga flâmula tamoyense. Os tamoios
são do tronco tupi e habitavam
o Rio de Janeiro e São Paulo.
O indígena original da região onde surgiu
Viamão é guarani. O nome Tamoyo
foi uma opção dos fundadores do time,
inspirados na marca de uma lata de óleo
comestível dos anos 1940.
A questão era que, no futebol, o time
tinha que levar consigo um espírito
guerreiro, o espírito do índio tamoio.
Surgiu então o índio viamonense.

TAMOYO

O TIME DE VIAMÃO

Bira Mros
Juarez Godoy

VOZ CULTURAL

Libretos

Porto Alegre, 2024

Este livro foi revisado segundo o Acordo Ortográfico da Língua Portuguesa de 1990, que entrou em vigor no Brasil em 2009.

Produção
Voz Cultural

Design gráfico e edição de arte
Clô Barcellos

Revisão
Célio Lamb Klein

Edição
Vítor Ortiz

Fotografia e reproduções
Marco Nedeff

Gestão cultural
Juliana Bittencourt

Pesquisa
Ubirajara Mros

Infográficos
Letícia Corrêa Maier

Ilustrações
Canini e Gilmar Fraga

Tratamento de imagens
Estúdio Mx

Assessoria de imprensa
Simone Lersch

Dados Internacionais da Publicação
Daiane Schramm

M827t Mros, Bira
Tamoyo: o time de Viamão. / Bira Mros e Juarez Godoy. - Porto Alegre: Libretos, 2024.
200p.; 18,5 x 24,5.
Inclui fotos
Coeditora: Voz Cultural
ISBN 978-65-86264-88-3 (Libretos)
ISBN 978-65-984242-0-6 (Voz Cultural)
1. Futebol. 2. Memória. 3. Campeonato Gaúcho. I. Título.
CDD 796.33
CDU 796

Catálogo sistemático
Memória: CDD B869.4
Campeonato Gaúcho: CDD 796.3

Libretos
Rua Peri Machado, 222, Bloco B/707
Bairro Menino Deus, Porto Alegre, RS
Brasil
CEP 90130-130

www.libretos.com.br
@libretoseditora
libretos@libretos.com.br

Voz Cultural
Rua Vítor Meireles, 40/204
Bairro Rio Branco, Porto Alegre, RS
Brasil
CEP 90430-160

www.vozcultural.com.br
@vozcultural
vozcultural@vozcultural.com.br

AGRADECIMENTOS

Agradecemos a todas as pessoas que colaboraram nesta pesquisa com imagens, jornais, documentos e depoimentos, histórias, com a identificação de atletas e personagens que aparecem na publicação.

Em particular, aos incentivos do Silvio Boca.

AOS FOTÓGRAFOS

Nossa gratidão especial a todos os fotógrafos que documentaram, em diversas e diferentes épocas, os feitos do Tamoyo. Não foi possível identificar os autores de cada uma das fotos resgatadas pela pesquisa, mas fica a lembrança desses importantes documentaristas, sem os quais seria impossível esta publicação: Aristides Vaz Ferreira, Máximo Galego Defez, Vicente Juchem, Baldissar Maggione, Danilo Ferraz, Mauro Vieira, Rui Pertile, Milton e Roni Santos, Adroaldo Peixoto e Haroldo Franco. Também a todos os amadores e/ou fotógrafos de ocasião que fizeram seus registros ao longo desses 80 anos de Tamoyo.

APRESENTAÇÃO

Bira Mros

É rica e popular a história do **Tamoyo**. Cheia de grandes feitos e detalhes marcantes que não poderiam ficar no esquecimento.

Estava eu, tranquilo, junto a uma roda de amigos no Bar Guará, no Centro de Viamão, na famosa mesa 1 daquele estabelecimento, quando fui desafiado a tentar contar a história do **Tamoyo** na forma de um livro, para que pudesse ficar eternizada.

Muitos amigos tamoyenses já partiram desta vida, e com eles foi uma boa parte dessa linda história. Preocupado com esse desaparecimento das memórias, convoquei o amigo Bode (Juarez Godoy) para juntos resgatarmos imagens e documentos que pudessem representar a trajetória do clube, a fim de organizar este registro geral.

Saímos resgatando fotos de todos os tempos, em especial com as famílias dos viamonenses que vivenciaram o clube. A experiência nos deixou muito admirados, tendo em vista a quantidade de documentos que estavam guardados à espera desse instante. Registros em fotografias, anotações, papéis, recortes de jornais e memórias orais encontrados por todos os cantos de Viamão.

Não pretendemos retratar neste livro toda a história do glorioso **Tamoyo** porque não seria possível, visto que muito de tudo o que se passou perdeu-se no tempo. Queremos apenas retratar o que ainda é possível resgatar, e, mesmo assim, sabemos que vamos ficar devendo à bela trajetória desse grande clube amador do nosso Estado.

O **Tamoyo** é uma história iniciada formalmente no dia 7 de setembro de 1944, há 80 anos. E como é uma trajetória sem fim, sabemos que sempre que o time entrar em campo estará começando uma nova etapa a ser contada no futuro.

Na época, recém o óleo vegetal industrializado começava a substituir a banha na cozinha popular. Os restaurantes e as casas mais sofisticadas faziam esse câmbio. Na prateleira da oficina dos Thompson, naquele ano de 1944, onde se reuniam os fundadores do time, expunha-se uma já usada lata do Óleo Tamoyo, de sementes de girassol, origem do nome glorioso para os tamoyenses.

O ANO DE 1944

Vítor Ortiz *

Em 6 de junho de 1944, as tropas aliadas desembarcaram na Normandia para libertar a França do domínio de Hitler e da Alemanha. Estava mais próximo o fim da guerra. Meses antes, no dia 9 de abril, uma freira católica polonesa chamada Celestina Catarina Faron havia sido morta pelos nazistas em Auschwitz.

Tropas da FEB e FAB foram para a Europa integrarem-se ao 5º Exército dos EUA, que lutava no Norte da Itália. Mais de 5 mil homens desembarcaram em Nápoles. Na despedida dos pracinhas, no Rio de Janeiro, foram promovidos dois jogos entre os selecionados do Brasil e do rival Uruguai, em evento organizado pelo Conselho Nacional de Desporto a pedido do ministro da Guerra, Eurico Gaspar Dutra.

Em 19 de julho, o navio brasileiro Vital de Oliveira foi bombardeado por um submarino alemão. O bombardeio era parte das consequências de Getúlio Vargas ter decidido pelo apoio aos aliados, depois de negociar com os EUA recursos para a instalação da CSN, a Companhia Siderúrgica Nacional, base fundamental para a industrialização do país.

Na música, vigorava a influência do Estado Novo, com o fortalecimento da Rádio Nacional na era Vargas, a única com potência para transmitir do Oiapoque ao Chuí programas como o das *Rainhas do Rádio*, das irmãs Linda e Dircinha Batista. Linda foi a rainha de 1937 a 1948.

No topo das paradas musicais do rádio estavam Orlando Silva, com *Atire a primeira pedra*; Cyro Monteiro, com *Falsa baiana*; Francisco Alves, com *Eu brinco*; Nelson Gonçalves, com o samba *A primeira mulher*; e Odete Amaral, intérprete de *Murmurando*. A música *Besame mucho* era o estouro internacional do ano, autoria da pianista mexicana Consuelo Velásquez, que compôs essa extraordinária canção aos 16 anos.

O Campeonato Gaúcho de Futebol daquele ano não teve a participação do Grêmio. Somente cinco equipes disputaram o torneio, onde o Internacional sagrou-se campeão, então pela sétima vez, com um escrete que contava com o lendário Tesourinha e com o argentino Volpi.

1944 foi o 22º ano de realização do Campeonato Brasileiro de Seleções Estaduais, com o Rio Grande do Sul figurando na péssima 16ª posição, apesar do time contar com Júlio, Alfeu, Vaz, Laerte, Ávila, Abigail, Tesourinha, Motorzinho, Adãozinho, Ruy e Ilmo – atletas do Grêmio e do Internacional.

No dia 7 de setembro daquele ano, ainda na vigência da Segunda Guerra Mundial, foi fundado o Tamoyo Futebol Clube de Viamão.

Reprodução/*Manchete Esportiva*

Tesourinha, jogador negro e um dos primeiros ídolos do futebol gaúcho, tinha esse apelido porque era da família do Bloco Os Tesouras, um dos mais tradicionais da Ilhota, em Porto Alegre, nos anos 1930-1940.

* Vítor Ortiz é historiador, gestor cultural e editor desta publicação. Nasceu em Viamão e é fundador da produtora Voz Cultural.

SUMÁRIO

Escudo em
1950-1960

Escudo
em 2024

PREFÁCIO

Tamoyo com ípsilon

Rogério Mendelski *

O nosso Tamoyo Futebol Clube se escreve com ípsilon. Confesso que acho um charme essa letra - a vigésima do alfabeto grego - porque o refinado Ministério das Relações Exteriores do Brasil também a utiliza para identificar a casa dos nossos diplomatas - o Itamaraty. E foi com essa mesma grafia com ípsilon que no dia 7 de setembro de 1944 nasceu o Tamoyo, muito bem definido neste livro como o "time de Viamão".

O trabalho conjunto dos autores Ubirajara Mros e Juarez Godoy (com ípsilon!) e a edição de Vítor Ortiz deram formas literária e de pesquisa a uma agradável e imprescindível história sobre o futebol amador de Viamão. Além do registro completo sobre o Tamoyo, o livro que agora se edita vai mais adiante e revela um pouco da história do nosso município, com diversos documentos históricos.

O Tamoyo revelou craques para o futebol profissional, e o maior deles, sem dúvida alguma, é Paíca (Paulo Fernando da Silva Bueno), que, mantidas as proporções, está para o clube assim como Pelé está para o Santos, Fernandão para o Inter e Airton Pavilhão para o Grêmio. São craques que se tornaram referências para os torcedores de seus clubes.

Nos 80 anos de sua existência, há muitas partidas que ainda provocam a imaginação dos tamoyenses, mas para mim a mais famosa foi contra um time de marinheiros russos, em março de 1962, rigorosamente bem documentada com fotos e narrativas sobre aqueles jogadores "diferentes" que acharam a nossa cachaça muito fraca comparada à vodca deles. Está tudo neste livro! E eu estava lá. Troquei cigarros com um russo. Eu dei para ele um maço de Minister e ele me passou um maço de cigarros horrorosos - metade um filtro de cartolina e metade um fumo rigorosamente intragável. Os russos trouxeram um tradutor e eu perguntei qual era a profissão do jogador lá na Rússia. Resposta dele: "Какова Ваша профессия". Me senti como a Dilma Rousseff falando francês...

Mudando de assunto nesta pretensão de prefácio, gosto do futebol amador, que deixou de ser um palco revelador de craques, substituído pelas tais escolinhas de futebol. O amadorismo hoje é o que se pratica no Tamoyo e nos demais coirmãos que ainda resistem ao profissionalismo das chuteiras. A propósito, quem me definiu com inteligência e muito bom humor o futebol amador moderno foi o ex-governador Carlos Larcerda numa entrevista que fiz com ele na sucursal do jornal *O Estado de S. Paulo*. Disse-me que o futebol amador podia ser comparado, ao contrário, à prostituição. "Por quê?"– perguntei. Resposta de Lacerda: "Assim como o profissionalismo no futebol matou seu congênere amador, o amadorismo matou o profissionalismo da prostituição. Não há mais estádios de futebol amador – a várzea –, assim como não há mais bordéis famosos".

Em Viamão não vale a definição de Lacerda. O Tamoyo está aí, firme, forte e ainda revelando craques no Estádio Edgar Leitão Teixeira, com 80 anos de vida e com este livro provando a sua gloriosa existência.

* Rogério Mendelski é jornalista, radialista, viamonense e ex-atleta do Tamoyo.

CAPÍTULO I

A fundação, a conquista do campo e o primeiro jogo

Bola de futebol... é um utensílio semivivo,
de reações próprias como bicho,
e que, como bicho, é mister
usar com malícia e atenção,
dando aos pés astúcias de mãos.

João Cabral de Melo Neto

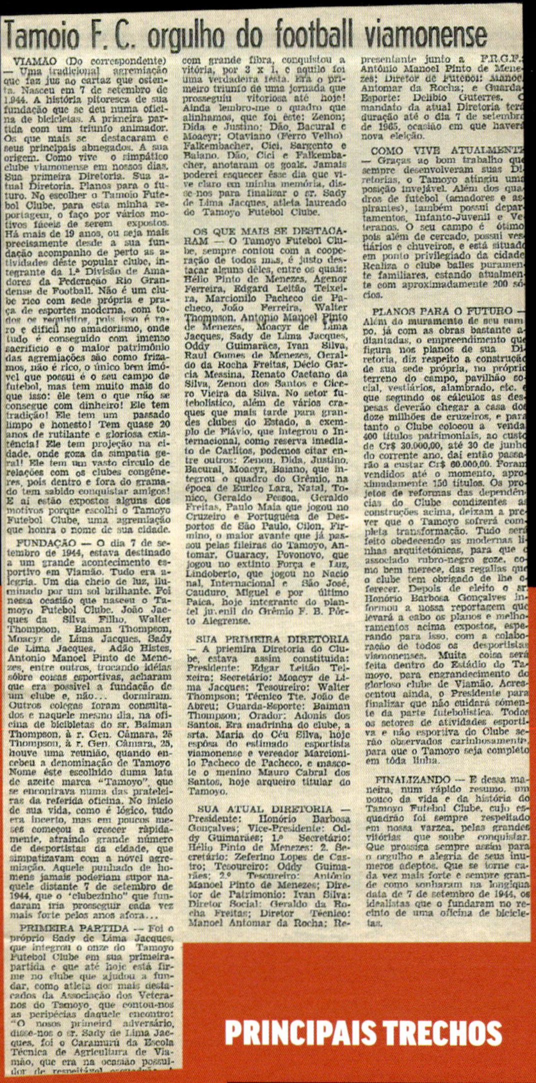

Tamoio F. C. orgulho do football viamonense

VIAMÃO (Do correspondente) — Uma tradicional agremiação que faz jus ao cartaz que ostenta. Nasceu em 7 de setembro de 1944. A história pitoresca de sua fundação que se deu numa oficina de bicicletas. A primeira partida com um triunfo animador. Os que mais se destacaram e seus principais abnegados. A sua origem. Como vive o simpático clube viamonense em nossos dias. Sua primeira Diretoria. Sua atual Diretoria. Planos para o futuro. No escolher o Tamoio Futebol Clube, para esta minha reportagem, o faço por vários motivos fáceis de serem expostos. Há mais de 19 anos, ou seja mais precisamente desde a sua fundação acompanho de perto as atividades dêste popular clube, integrante da 1.ª Divisão de Amadores da Federação Rio Grandense de Football. Não é um clube rico com sede própria e praça de esportes moderna, com todos os requisitos, pois isso é raro e difícil no amadorismo, onde tudo é conseguido com imenso sacrifício e o maior patrimônio das agremiações são como frizamos, não é rico, o único bem imóvel que possui é o seu campo de futebol, mas tem muito mais do que isso: êle tem o que não se consegue com dinheiro! Ele tem tradição! Ele tem um passado limpo e honesto! Tem quase 20 anos de rutilante e gloriosa existência! Ele tem projeção na cidade, onde goza da simpatia geral! Ele tem um vasto círculo de relações com os clubes congêneres, pois dentro e fora do gramado tem sabido conquistar amigos! E aí estão expostos alguns dos motivos porque escolhi o Tamoyo Futebol Clube, uma agremiação que honra o nome de sua cidade.

FUNDAÇÃO — O dia 7 de setembro de 1944, estava destinado a um grande acontecimento esportivo em Viamão. Tudo era alegria. Um dia cheio de luz, iluminado por um sol brilhante. Foi nessa ocasião que nasceu o Tamoyo Futebol Clube. João Jacques da Silva Filho, Walter Thompson, Baiman Thompson, Moacyr de Lima Jacques, Sady de Lima Jacques, Adão Histes, Antonio Manoel Pinto de Menezes, entre outros, trocando idéias sôbre coisas esportivas, acharam que era possivel a fundacão de um clube e, não... dormiram. Outros colegas foram consultados e naquele mesmo dia, na oficina de bicibletas do sr. Baiman Thompson, à r. Gen. Câmara, 25 Thompson, à r. Gen. Câmara, 25, houve uma reunião, quando encebeu a denominação de Tamoyo Nome êste escolhido duma lata de azeite marca "Tamoyo", que se encontrava numa das prateleiras da referida oficina. No início de sua vida, como é lógico, tudo era incerto, mas em poucos meses começou a crescer ràpidamente, atraindo grande número de desportistas da cidade, que simpatizavam com a novel agremiação. Aquele punhado de homens jamais poderiam supor naquele distante 7 de setembro de 1944, que o 'clubezinho" que fundaram iria prosseguir cada vez mais forte pelos anos afora...

PRIMEIRA PARTIDA — Foi o próprio Sady de Lima Jacques, que integrou o onze do Tamoyo Futebol Clube em sua primeira partida e que até hoje está firme no clube que ajudou a fundar, como atleta dos mais destacados da Associação dos Veteranos do Tamoyo, que contou-nos as peripécias daquele encontro: "O nosos primeird adversário, disse-nos o sr. Sady de Lima Jacques, foi o Caramurú da Escola Técnica de Agricultura de Viamão, que era na ocasião possuidor de respeitável [illegible] com grande fibra, conquistou a vitória, por 3 x 1, e aquilo foi uma verdadeira festa. Era o primeiro triunfo de uma jornada que prosseguiu vitoriosa até hoje! Ainda lembro-me o quadro que alinhamos, que foi êste: Zenon; Dida e Justino; Dão, Bacural e Moacyr; Otaviano (Ferro Velho) Falkembacher, Cici, Sargento e Baiano. Dão, Cici e Falkembacher, anotaram os goals. Jamais poderei esquecer êsse dia que vive claro em minha memória, disse-nos para finalizar o sr. Sady de Lima Jacques, atleta laureado do Tamoyo Futebol Clube.

OS QUE MAIS SE DESTACARAM — O Tamoyo Futebol Clube, sempre contou com a cooperação de todos mas, é justo destacar alguns dêles, entre os quais: Hélio Pinto de Menezes, Agenor Ferreira, Edgard Leitão Teixeira, Marcionilo Pacheco de Pacheco, João Ferreira, Walter Thomuson, Antonio Manoel Pinto de Menezes, Moacyr de Lima Jacques, Sady de Lima Jacques, Oddy Guimarães, Ivan Silva, Raul Gomes de Menezes, Geraldo da Rocha Freitas, Décio Garcia Messina, Renato Caetano da Silva, Zenon dos Santos e Cicero Vieira da Silva. No setor futebolístico, além de vários craques que mais tarde para grandes clubes do Estado, a exemplo de Flávio, que integrou o Internacional, como reserva imediato de Carlitos, podemos citar entre outros: Zenon, Dida, Justino, Bacural, Moacyr, Baiano, que integrou o quadro do Grêmio, na época de Eurico Lara, Natal, Tonico, Geraldo Pessoa, Geraldo Freitas, Paulo Maia que jogou no Cruzeiro e Portuguêsa de Desportos de São Paulo, Cilon, Firmino, o maior avante que já passou pelas fileiras do Tamoyo, Antomar, Guaracy, Povonovo, que jogou no extinto Fôrça e Luz, Lindoberto, que jogou no Nacional, Internacional e São José, Cauduro, Miguel e por último Paica, hoje integrante do plantel juvenil do Grêmio F. B. Pôrto Alegrense.

SUA PRIMEIRA DIRETORIA — A priemira Diretoria do Clube, estava assim constituida: Presidente: Edgar Leitão Teixeira; Secretário: Moacyr de Lima Jacques; Tesoureiro: Walter Thompson; Técnico Tte. João de Abreu; Guarda-Ssporte: Baiman Thompson; Orador: Adonis dos Santos. Era madrinha do clube, a srta. Maria do Céu Silva, hoje espôsa do estimado esportista viamonense e vereador Marcionilo Pacheco de Pacheco, e mascote o menino Mauro Cabral dos Santos, hoje arqueiro titular do Tamoyo.

SUA ATUAL DIRETORIA — Presidente: Honório Barbosa Gonçalves; Vice-Presidente: Oddy Guimarães; 1.º Secretário: Hélio Pinto de Menezes; 2. Secretário: Zeferino Lopes de Castro; Tesoureiro: Oddy Guimarães; 2.º Tesoureiro: Antônio Manoel Pinto de Menezes; Diretor de Patrimonio: Ivan Silva: Diretor Social: Geraldo da Rocha Freitas; Diretor Técnico: Manoel Antomar da Rocha; Representante junto a F.R.G.F.: Antônio Manoel Pinto de Menezes; Diretor de Futebol: Manoel Antomar da Rocha; e Guarda-Esporte: Delibio Guterres. O mandato da atual Diretoria terá duração até o dia 7 de setembro de 1965, ocasião em que haverá nova eleição.

COMO VIVE ATUALMENTE — Graças ao bom trabalho que sempre desenvolveram suas Diretorias, o Tamoyo atingiu uma posição invejável. Além dos quadros de futebol (amadores e aspirantes), também possui departamentos, Infanto-Juvenil e Veteranos. O seu campo é ótimo pois além de cercado, possui vestiários e chuveiros, e está situado em ponto privilegiado da cidade. Realiza o clube bailes puramente familiares, estando atualmente com aproximadamente 200 sócios.

PLANOS PARA O FUTURO — Além do muramento de seu campo, já com as obras bastante adiantadas, o empreendimento que figura nos planos de sua Diretoria, diz respeito a construção de sua sede própria, no próprio terreno do campo, pavilhão social, vestiários, alambrado, etc. e que segundo os cálculos as despesas deverão chegar a casa dos doze milhões de cruzeiros, e para tanto o Clube colocou a venda 400 títulos patrimoniais, ao custo de Cr$ 30.000,00, até 30 de junho do corrente ano, daí então passarão a custar Cr$ 60.000,00. Foram vendidos até o momento, aproximadamente 150 títulos. Os projetos de reformas das dependências do Clube condizentes as construções acima, deixam a prever que o Tamoyo sofrerá completa transformação. Tudo será feito obedecendo as modernas linhas arquitetónicas, para que o associado rubro-negro goze, como bem merece, das regalias que o clube tem obrigado de lhe oferecer. Depois de eleito o sr. Honório Barbosa Gonçalves informou a nossa reportagem que levará a cabo os planos e melhoramentos acima expostos, esperando para isso, com a colaboração de todos os desportistas viamonenses. Muita coisa será feita dentro do Estádio do Tamoyo, para engrandecimento do glorioso clube de Viamão. Acrescentou ainda, o Presidente para finalizar que não cuidará sòmente da parte futebolística. Todos os setores de atividades esportiva e não esportiva do Clube serão observados carinhosamente, para que o Tamoyo seja completo em tôda linha.

FINALIZANDO — E dessa maneira, num rápido resumo, um pouco da vida e da história do Tamoyo Futebol Clube, cujo esquadrão foi sempre respeitado em nossa varzea, pelas grandes vitórias que soube conquistar. Que prossiga sempre assim para o orgulho e alegria de seus inumeros adeptos. Que se torne cada vez mais forte e sempre grande como sonharam na longíqua data de 7 de setembro de 1944, os idealistas que o fundaram no recinto de uma oficina de bicicletas.

Fac-símile da *Folha Esportiva* do dia 9 de maio de 1964 com texto de Sady de Lima Jacques (Dida), um dos fundadores e integrantes do time que jogou a primeira partida de futebol do Tamoyo, relatando ao correspondente do jornal a história do clube até aquela data.

PRINCIPAIS TRECHOS

"Nasceu em 7 de setembro de 1944 a história pitoresca de sua fundação, que se deu numa oficina de bicicleta..."

"... Há mais de 19 anos, ou seja, mais precisamente desde a sua fundação, acompanho de perto as atividades deste popular clube, integrante da 1ª Divisão de Amadores da Federação Rio Grandense de Football..."

"...Houve uma reunião, quando o time recebeu a denominação de Tamoyo, nome este escolhido duma lata de azeite marca 'Tamoyo', que se encontrava nas prateleiras da referida oficina..."

"...Aquele punhado de homens jamais poderia supor, naquele distante 7 de setembro de 1944, que o 'clubezinho' que fundaram iria prosseguir cada vez mais forte pelos anos afora..."

E assim, tudo começou

Com o nome de Estância Grande, a atual Viamão começou a surgir como núcleo urbano na década de 1740, data que lhe confere a condição de uma das povoações mais antigas do Rio Grande do Sul. Era um território já bem habitado, na época, no meio do caminho entre Laguna e Colônia de Sacramento, uma posição lusitana nas solidões sulinas, num momento em que os reinos de Espanha e Portugal disputavam a fronteira, em especial a banda oriental do Uruguai.

Com a invasão espanhola de Rio Grande, em 1763, a já então freguesia de Viamão recebeu a sede do governo da capitania. Permaneceu nessa condição até 1773, quando a administração passou definitivamente para Porto Alegre. Por ocasião da Guerra Farroupilha (1835-1845), a localidade teve o seu nome mudado para Setembrina (em referência à data memorável em que o movimento foi deflagrado: 20 de setembro de 1835). Depois da guerra, a denominação histórica foi restabelecida. Além de Estância Grande, outros nomes foram adotados: Capela Grande de Viamão, Arraial e Freguesia de Nossa Senhora da Conceição de Viamão. Os primeiros povoadores eram lagunenses, paulistas, açorianos e muitos negros escravizados.

Passaram-se mais de 200 anos e chegamos ao dia 7 de setembro de 1944. Viamão tinha como prefeito o dr. Carlos Velho Monteiro; como vigário, Arthur Wickert; e, no comando da Delegacia, o capitão Osório, que também respondia pela Liga Nacional Brasileira. Um grupo de amigos reuniu-se num jantar na oficina de bicicletas dos irmãos Thompson, no Centro da cidade (defronte à Praça da Igreja), idealizando então a fundação de um clube de futebol. Estavam presentes Moacir Jacques, João Jacques (Dão), Dida Jacques, Nelson Abreu, Adão Histes, Antônio Manoel Pinto de Menezes e os irmãos Walter e Bayman Thompson.

Como o Centro não tinha um time de futebol, os amigos tiveram a ideia de fundar o primeiro. Sabendo eles que a cidade era um celeiro de craques devido às peleias na quadra de terra da Praça da Igreja e nos campinhos das redondezas, estava claro que passava da hora de juntar essa turma boa de bola.

Seguiu-se uma discussão acerca do nome do time a ser fundado. Foram muitas as sugestões, sem que nenhuma fosse aceita por todos. Até que um dos presentes chamou a atenção para uma lata de óleo comestível com o nome "Tamoyo", nas cores vermelha e preta, que estava numa prateleira da oficina. E assim nasceu o rubro-negro viamonense: Tamoyo Futebol Clube.

A CONQUISTA DO CAMPO

"O Prefeito Municipal de Viamão, no uso das atribuições que lhe confere o artigo 158 da Constituição do Estado, faz saber que a Assembleia Legislativa do Estado, nos termos do Artigo 4º (...) aprovou e eu sanciono e promulgo a seguinte Lei:

Art. 1º – Fica autorizada a doação, ao Tamoyo Foot-ball club, Associação Cultural e Desportiva com sede no município, de um imóvel sito no lugar denominado Várzea da Maria Lopes (...).

Art. 2º – O imóvel doado destina-se a construir praça de esportes daquela agremiação esportiva, que nele construirá as instalações necessárias.

Art. 3º – No caso de ser dado ao imóvel outro destino que não o previsto nesta Lei, ou se o Tamoyo F. C. vier a extinguir-se, o imóvel em causa voltará ao patrimônio municipal com todas as benfeitorias, sem indenização por parte do Município."

Gabinete do Prefeito Municipal de Viamão
26 de novembro de 1947
Norberto Ignácio de Barcelos

Três anos após a fundação do Tamoyo, naquele encontro na oficina dos Thompson, veio a conquista da área onde hoje está instalado o Estádio Edgar Leitão Teixeira, na referida Várzea da Maria Lopes.

Depois da fundação do time, faltava uma sede, numa área ampla, onde pudesse surgir um campo de futebol com as dimensões oficiais. Evidente que foi necessário mobilizar os fundadores para obter essa conquista junto ao poder público. Como demonstra o texto em destaque, reproduzido com a ortografia da época, a ideia teve o aval da Câmara de Vereadores da cidade, a partir de uma proposição de seu presidente à época, José Américo dos Santos Filho, que aprovou e sancionou a lei, na condição de prefeito em exercício.

"Prosseguindo, Sr. Presidente, o ... comum do Rio Grande".

CRONICA DA ASSEMBLÉIA

(Continuação da 8.ª página)

dente da Assembléia. A seguir fala o deputado Bora, da UDN, que se refere ao violento temporal que danificou varios aparelhos da flotilha aérea uruguaia recem-chegada á nossa capital. Sobre o mesmo assunto tece varias considerações o deputado Brisola, do PTB, e os deputados Adail Morais, pelo PSD, Dionélio Machado, pelo PCB, e Luiz Campagnoni, do PRP.

Posto em discussão e votação o projeto referente á criação de uma residencia do DAER em São Gabriel, travam-se discussões em torno do assunto. O projeto é rejeitado pelo Plenário, em maioria.

Prosseguindo os trabalhos da Ordem do Dia, a Assembléia, em votação secreta, vota contra o veto do Prefeito de Viamão, contra o Projeto de Lei da Assembléia que dava concessão ao F. C. Tamoyo, daquele municipio, para ceder ao mesmo clube um terreno a fim de que este praticasse a educação fisica entre seus associados.

Votaram contra o veto 30 deputados e a favor 14, sendo assim mantido o Projeto de Lei em questão.

Em seguida a sessão foi prorrogada por mais meia hora, sendo aprovados os seguintes Projetos e Requerimentos:

3.ª discussão do projeto de lei n.º 106 que regula a situação dos professores contratados e dos fiscais das escolas normais.

Discussão e votação do requerimento n.º 215 que solicita o inicio da construção de uma rodovia tronco ligando a séde ao hinterland... no municipio de São José do Norte.

Discussão e votação do requerimento n.º 217 que solicita ao ministro da Fazenda a pronta construção do edificio destinado aos servidores aduaneiros na fronteira meridional do Brasil (Chuí).

Discussão e votação do requerimento n.º 218 que solicita informações sobre o andamento dos requerimentos relativos ao pagamento de aposentadorias a que têm direito os servidores publicos ferroviarios.

Discussão e votação do requerimento n.º 219 que solicita informações sobre o inquerito mandado instaurar em S. Pedro do Sul, no sentido de apurar a conduta do Delegado de Policia.

Discussão e votação do requerimento n.º 220 que solicita informações sobre intervenção brusca de varios policiais no recinto do Bar Restaurante "A Baiana".

Discussão e votação do requerimento n.º 222 que solicita ao Prefeito de São Jeronimo, sua atenção no melhor suprimento do fornecimento de carne verde aos trabalhadores das Minas do Butiá.

Discussão e votação do requerimento n.º 224 que solicita ao Governador a sua inter-

de mesas, das quais poucas restam.

A diretoria tem tomado tôdas as providências para que mais esta festa social do Petropole se mantenha na altura do prestigio de tôdas as festividades anteriores.

S. B. PRONTIDÃO — Reina

No *Jornal do Dia* (data de 22/11/1947), a coluna *Crônica da Assembleia* repercutiu a disputa havida entre a Câmara dos Vereadores e a Prefeitura na época pela concessão da área para a instalação do campo do Tamoyo. O jornal tinha um correspondente em Viamão. Era Ademar Cunha, funcionário do município.

Importante lembrar também a colaboração para o feito do então funcionário da Prefeitura Municipal de Viamão nesse período, Edgar Leitão Teixeira, que posteriormente foi merecer o título de patrono do clube, emprestando seu nome ao estádio.

A conquista não foi possível sem luta. No *Jornal do Dia* consta que "prosseguindo os trabalhos da ordem do dia, a Assembleia (Legislativa do Estado), em votação secreta, rejeitou o veto do prefeito de Viamão ao projeto de lei da Câmara Municipal que dava concessão ao Tamoyo F. C., daquele município, de um terreno a fim de que este praticasse a educação física entre os seus associados. Votaram contra o veto 30 deputados e a favor 14, sendo assim mantido o projeto de lei em questão".

Dessa forma, a área ficou para o Tamoyo, sendo na atualidade a sede do Estádio Edgar Leitão Teixeira.

A DESTINAÇÃO DA VÁRZEA

No mesmo *Jornal do Dia*, porém em 4 de janeiro de 1948, na *Coluna dos Esportes*, um registro dá conta de que "causou geral contentamento entre os associados e torcedores do glorioso Tamoyo F. C. o decreto de doação do campo feito pelo sr. José Américo dos Santos Filho, presidente da Câmara de Vereadores, no exercício do cargo de prefeito", confirmando a história anteriormente narrada. O prefeito Norberto não queria doar ao Tamoyo aquela área, com certeza por ter sofrido pressões em contrário por alguns políticos na época.

O lugar doado ao Tamoyo era parte de uma chácara existente na região baixa das costas da Igreja de Viamão, conhecida pelo nome de Várzea da Maria Lopes, nome de uma senhora que viveu no município e morreu em 28 de outubro de 1886, filha do sesmeiro Domingos Lopes Vasconcelos e de Ludovina Maria da Conceição. Não tendo filhos e outros herdeiros, dona Maria Lopes deixou a chácara para a municipalidade.

Com o tempo, a prefeitura, já em meados do século XX foi destinando o terreno, onde hoje estão as sedes do Tamoyo, do Clube dos Casados, a Secretaria de Obras, o Colégio Stella Maris e a primeira sede da Coopernorte, o Centro Espírita e o Centro de Formação Profissional Walter Graeff. Nas proximidades também está também localizada a Fonte da Paciência.

"JORNAL DO DIA"

Havará surpresa na primeira rodada do returno?

OS INIMIGOS DO ESPORTE

ALARMADOS OS MEIOS ESPORTIVOS DE VIAMÃO — INUTILIZADO COM O CONSENTIMENTO DA PREFEITURA O UNICO CAMPO DE FUTEBOL EXISTENTE NA CIDADE

GREMIO, INTERNACIONAL E CRUZEIRO SÃO OS FAVORITOS — SERA' QUE CONFIRMARÃO O FAVORITISMO? — RENNER, SÃO JOSE' E NACIONAL EM GRANDE FORMA, ESPERAM OFERECER ALGO SURPREENDENTE

Esporte

GRANDE CAMPEONATO INFANTIL DE FUTEBOL

REFERE-SE A INICIATIVA DO "JORNAL DO DIA", O CONHECIDO E COMPETENTE TECNICO EM EDUCAÇÃO FISICA ADEMAR CERQUEIRA — "RENOVAÇÃO DOS VALORES "VELHOS", PELOS NOVOS QUE SÃO MAIS VIÇOSOS..."

49 ANOS COMPLETOU O VASCO DA GAMA, DO RIO

MISSA EM AÇÃO DE GRAÇAS PELO ANIVERSARIO DO GRANDE CLUBE CARIOCA — O ATLETICO MINEIRO JA' PENSA EM MONTAR UMA SUCURSAL NO RIO E DISPUTAR O CERTAME CARIOCA! ... — DESCOBERTO UM GRANDE DESFALQUE NA FEDERAÇÃO MARANHENSE

PITOCO

EM ATIVIDADE O S. O. S.

O Que Muitos Craques Ignoram

Esporte no Julio de Castilhos

DR. A. CANTISANI

Ciclismo na Suíça

COM OS RUSSOS TEM QUE SER "PRETO NO BRANCO"...

OS ATLETAS DA «SOGIPA» NA CIDADE DO RIO GRANDE

(Reportagem de Ademar Cerqueira, especial para o "JORNAL DO DIA")

JORNAL DO DIA

"Comite" Olimpico Brasileiro

A edição de 22 de maio de 1947 do *Jornal do Dia*, na coluna com o título *Os inimigos do esporte*, destaca uma das polêmicas da época em que a posse do campo estava sendo consolidada. O prefeito de então havia permitido a um particular que aterrasse parte da área. O fato gerou protestos (veja página ao lado).

Esta fotografia é de novembro de 1947, quando um grupo de tamoyoenses reuniu-se para buscar a confirmação da doação do campo da Várzea da Maria Lopes para o Tamoyo. Entre os presentes mobilizados que aparecem na imagem estão Deco, Bira Rocha, Justino, Cabeleira, Itamar Carvalho, Antônio Menezes, Geraldo Freitas, Walter Thompson, Eninho e um dos irmãos Prates, entre outros.

Na ocasião, o grupo que aparece na foto estava levando ao conhecimento do jornalista Cunha Júnior, do *Jornal do Dia*, que o prefeito da época, cel. Norberto de Barcelos, havia autorizado um particular a aterrar e construir em parte da área onde praticava-se o futebol do Tamoyo. O referido prefeito já havia, anteriormente, posicionado-se contrário à cedência da área para o clube, conforme já relatado.Daí a reunião do grupo para contestar a decisão da Prefeitura.

O assunto movimentou todos os escalões da cidade na época, deixando o prefeito numa saia justa. Seu veto à concessão do campo do Tamoyo seria derrubado na Assembleia Legislativa do Estado, onde os deputados votaram contra a posição do prefeito e favoravelmente à concessão da área ao time de Viamão.

Ao final, a obra iniciada irregularmente foi suspensa e o Tamoyo retomou a posse do campo. Depois de tudo resolvido, houve uma comemoração com um jogo de futebol e uma churrascada regada a muito chope.

A VÁRZEA DA MARIA LOPES ANTES DO TAMOYO

O time do América em imagem de outubro de 1943.

Antes do Tamoyo já havia algumas formações de times mais antigos, inclusive compartilhando os mesmos jogadores. A imagem mostra a equipe do seu Alvinho Carvalho, o América Futebol Clube, uma dessas equipes pioneiras, com atletas do Centro de Viamão. Na fotografia acima, tirada no dia 4 de outubro de 1943, no campo municipal da Várzea da Maria Lopes, antes da data de fundação do Tamoyo, podemos ver jogadores que mais tarde vão estar no rubro-negro, como os irmãos Jacques, Dão, Moacir e Dida. Também Renato Silva, Itamar e Antônio Menezes, Abacir, Genes, Justino, Renê Rocha Ramos e Justino Baldine, entre outros. O time do América foi formado nos anos 1930, como vemos na fotografia ao alto, na página seguinte, que é de 1936.

Uma das mais antigas imagens do futebol viamonense: o América em 1936.

Formação de atletas registrada em 3 de maio de 1941, na Várzea da Maria Lopes, antes da criação do Tamoyo.

Esta outra imagem é de 25 de junho de 1941 – tempos de Segunda Guerra Mundial – e também retrata o time do América, com suas camisetas listradas.

A formação acima é do dia 9 de setembro de 1942, com seu Baldino trajando uma jaqueta, aparecendo ao lado o então jovem Itamar Carvalho. Na imagem também estão Renato Silva, Moacir e Dão.

O PRIMEIRO JOGO DO TAMOYO

Esta foi a primeira formação e o primeiro fardamento do Tamoyo.

Este foi o primeiro time fardado e o primeiro a representar o Tamoyo, já no campo da Várzea da Maria Lopes, que fez sua partida inaugural no dia 24 de setembro de 1944, após a fundação do clube. O jogo foi contra a equipe do Caramuru, um clube também viamonense que atuava na região do Passo do Vigário, formado por técnicos rurais da ETA (Escola Técnica de Agricultura). A equipe adversária, por estar mais entrosada, dificultou muito para o rubro-negro viamonense, na partida do seu quadro principal, que terminou com o placar de 3 x 1 para o Tamoyo.

Dão, Cici e Falkembacher anotaram os gols. O goleiro Zenon foi muito exigido no jogo, com boas defesas. A equipe se comportou bem em campo, mostrando que teria pela frente uma trajetória de glórias.

Conforme depoimento registrado do jogador Dida Jacques, um dos fundadores do time, a equipe do primeiro quadro do Tamoyo foi escalada da seguinte maneira: Zenon, Dida, Justino, Dão, Bacural, Moacir, Otaviano (Ferro Velho), Falkembacher, Cici, Sargento e Baiano.

Conforme fac-símile de reportagem publicada à época, no jornal *Correio Rural*, em sua edição comemorativa de 100 anos (31/08/2012), naquela tarde ocorreram duas partidas, uma para cada quadro das equipes adversárias. Às 13h, jogou o segundo quadro, com a seguinte formação: Coco, Renê, Vasconcelos, Antoninho, Antônio, Itamar, Elias, Índio, Abarcy, Flávio, Geraldo, Juca e Valter.

Em outro testemunho desse mesmo dia, consta que às 14h, jogou a equipe principal do rubro-negro, com Zenon, Dida, Justino, Polaco, Ivaro, Moacir, Dão, José, Alfredo, Cici, Eliseu, Genis e Otaviano.

A história do clube registrou, então, o primeiro gol marcado pelo rubro-negro viamonense, que foi de João Jacques da Silva Filho (Dão).

O fardamento foi desenhado pelo já referido Dão Jacques e costurado pela dona Chiquinha Barcelos (costureira que morava na região dos fundos da Igreja de Viamão). A bandeira do clube, por sua vez, foi feita pela dona Teresa Caetano da Silva.

Originais dos desenhos da camiseta e bandeira do clube apresentados no momento de registro do Tamoyo na Federação Rio-Grandense de Futebol.

CORREIO RURAL

Ano 32 | Estado do Rio Grande do Sul—Viamão, 16 de Setembro de 1944 | N. 43

Pelos Esportes

Reerguido o futeból viamonense—O F. C. Paladino é o Campeão gravataiense de 1944

Fundado em Viamão o Tamoyo Futeból Clube

O Paladino é o Campeão Gravataiense de 1944

Registro Funebre

Larga-me... Deixa-me Gritar!...

O Xarope São João

VITORIA

Vende-se nos principais Armazens desta

FLUXO-SEDATINA

A edição de 16 de setembro de 1944 do *Correio Rural*, na manchete *Pelos Esportes – Reerguido o futebol viamonense* anuncia a fundação do Tamoyo e a instalação de sua primeira diretoria.

CORREIO RURAL

ANO XXXII | Orgão independente | Patrocina os interesses gerais da Comarca: Viamão—Gravataí

Diretor-Proprietario ALCEBIADES A. DOS SANTOS | Viamão—Estado do Rio Grande do Sul—Brasil Sabado, 23 de Setembro de 1944 | Numero 44

Em grande gala o nosso mundo desportivo

Associação Rural

Rene Rocha Ramos

Abono Familiar

Dr. Carlos P. Mennet Advogado

Curso Hospitalar

Notas da Estiva

VITORIA

Larga-me... Deixa-me Gritar

O Xarope São João

O jornal, na data de 23 de setembro do mesmo ano, anunciou também o primeiro jogo contra o Caramuru na manchete *Em grande gala o nosso mundo desportivo*. A partida inaugural ocorreu na Baixada da Maria Lopes no dia seguinte, domingo, 24, no campo onde o Tamoyo iria estabelecer-se para sempre.

A PRIMEIRA DIRETORIA DO CLUBE

Edgar Leitão, que dá nome ao estádio, foi o primeiro a presidir o Tamoyo.

Presidente: Edgar Leitão Teixeira

1º vice-presidente: Alencarino Scarpetti

2º vice-presidente: José Américo dos Santos Fº

Presidente de honra: dr. Carlos Velho Monteiro

Secretários: Moacir de Lima Jacques e João Castro de Ávila

Tesoureiros: Antônio Pinto Menezes e Messilva Messina da Silva

Orador: Adonis dos Santos

Representante junto à FGF: Milcíades dos Santos

Diretor técnico: tenente João de Abreu

Guarda-esportes: Walter Thompson e João Jacques da Silva Fº

Conselho fiscal: padre Arthur Wickert, Joaquim Simões Particheli e José Daudt

Suplentes: Zenon Santos, Álvaro Gonçalves de Carvalho e Carlos Veiga

Madrinha do clube: Maria do Céu Silva (dona Mariquita)

Mascote: Mauro Cabral dos Santos

COLABORADORES

O Tamoyo Futebol Clube sempre contou com a cooperação de muita gente da comunidade, e é justo destacar alguns, entre os quais Hélio Pinto de Menezes, Agenor Ferreira, Marcionilo Pacheco de Pacheco, João Ferreira, Walter Thompson, Antônio Manoel Pinto de Menezes, Moacir de Lima Jacques, Sady de Lima Jacques, Odi Guimarães, Ivan Silva, Raul Gomes de Menezes, Geraldo da Rocha Freitas, Décio Garcia de Messina, Renato Caetano da Silva, Zenon dos Santos, Cícero Vieira da Silva, Tapir Rocha, João Leão e Manoel Onofre.

CAPÍTULO II

Quadro principal, os primeiros atletas e o jogo com os russos

...Se todas as batalhas dos homens se dessem apenas nos campos de futebol, quão belas seriam as guerras.

Augusto Branco

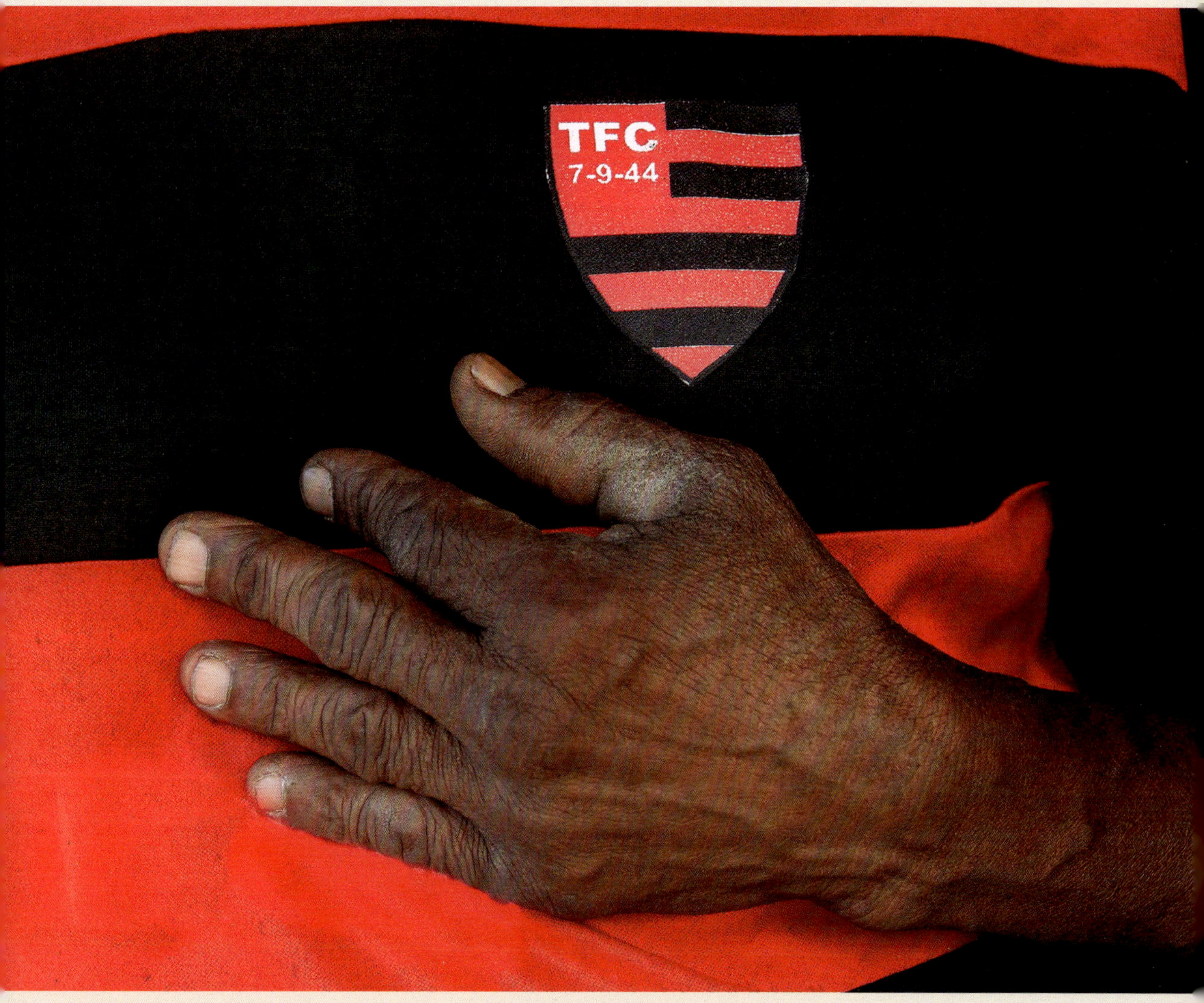

A foto colorizada na forma de cartão-postal é dos anos 1960 e mostra o fardamento nº 2 do clube, trazendo o time da época: Clóvis, Paulo Maia, Dorval, Aureo, Waldir I e Waldir II, em pé. Sidnei, Antomar, Bortoli, Moacir Santos, Cândido, Charão e Cochâ, agachados.

Equipe de 1958 que bateu time de Pelotas. Mauro Santos, Carioca, Mariana, Zé Marques, João Ferreira, Tabajara, Agenor, Amaral (técnico), em pé na foto. Sidnei, Abílio, Osi, Raul Menezes e Júlio Marafiga, agachados.

Década de
1940

OS PRIMEIROS ATLETAS

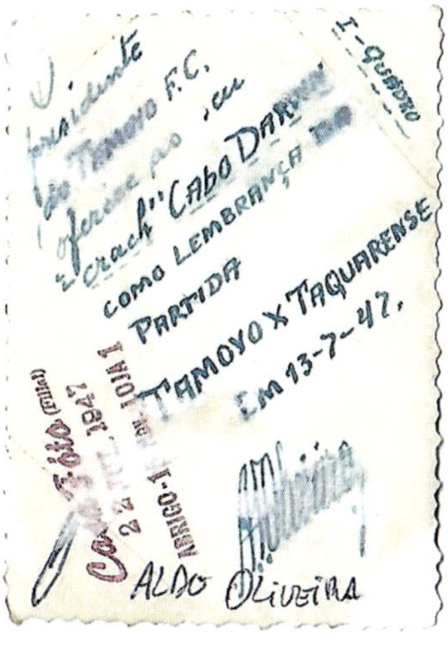

Esta foi uma das primeiras formações do Tamoyo Futebol Clube. Na foto identificamos Dão Jacques, Lindoberto, Geraldo Tavares, Dida Jacques, Nelsinho, Adão, Macaco e Flávio Silva.

DE TOUCA NA CABEÇA

Muitas vezes, os jogadores do Tamoyo, nesses primórdios do time, jogavam de toucas, porque as bolas de futebol eram pesadas e tinham um cadarço que ficava para fora, o que poderia machucar, e realmente machucava. Eram as então chamadas "bolas de tento". Essa touquinha era comum na indumentária dos primeiros times de futebol do início do século XX, muito usada até pelo menos os anos 1940. O couro encharcava nos dias de chuva, tornando a pelota (nome mais usual para a "bola" naqueles idos) extremamente pesada. Nos anos 1950, as bolas passaram a ter costura interna, sem a abertura e o tal cordão. Em 1962 estreou a pelota com 18 gomos, mais leve e estável.

ENTRE OS BAIRROS

Este time escalado pelo técnico e jogador Flávio Silva foi a formação do Tamoyo Futebol Clube para o jogo do dia 9 de março de 1947 contra o Belém, de Belém Novo, região balneária de Porto Alegre, amistoso que terminou com o escore de 1 x 1. O gol do rubro-negro viamonense foi marcado por Geraldo Freitas.

O Tamoyo jogou com Júlio Coco, Manote, Itamar, Menezes, Sargento, Florêncio, Wilson, Neca, Ney, Geraldo Freitas e Daier.

Esta formação atuou pelo Tamoyo em Belém Novo.

Nas camisetas, os distintivos bem marcantes.

CONTRA O CRISTAL DO BAIRRO CAMAQUÃ

Esta equipe do Tamoyo Futebol Clube, fotografada pela câmera de Edgar Leitão Teixeira, no mês de maio de 1947, enfrentou o Cristal Futebol Clube, do bairro Camaquã, de Porto Alegre. O rubro-negro viamonense saiu vencedor com o escore de 2 x 0, com gols de Flávio Silva e Macaco.

Na foto aparecem o presidente Aldo Oliveira seguido de um atleta que não identificamos, depois, Itamar Carvalho, Geraldo Tavares, Dida, Lindoberto, outro não identificado e Hélio Tibúrcio.

Entre os agachados, outro não identificado, Nelsinho, Adão, Macaco e Flávio Silva (tio do Bebeto).

Um dos jogadores dessa foto, Lindoberto, jogou no Nacional e depois no S. C. Internacional. Flávio Silva também atuou no S. C. Internacional, onde foi reserva do grandioso atacante Carlitos.

Formação tamoyense dos anos 1950.

NO TEMPO DA BOLA MARROM

Uma bola de gomos marrons das antigas, feita de couro curtido, com câmera de ar por dentro, daquelas que quando molhava ganhava peso de bola de ferro, destaca-se nesta imagem nas mãos do atacante Geraldo Freitas.

O time completo – um dos melhores da década de 1950 – era composto por Brocoió, Arlei, Lindoberto, Lírio, Tonico e Povo Novo. Agachados, Antomar, Paulo Maia, Waldir, Moacir Jacques e Geraldo Freitas.

Tonico era um jogador viamonense qualificado que atuava no Nacional de Porto Alegre e que, em muitas ocasiões, trazia um atleta do time porto-alegrense para reforçar o Tamoyo. Na ocasião dessa imagem, o atleta convidado era o chamado Povo Novo.

Outra equipe dos anos 1950 com fardamento alternativo.

O GOLEIRO ZENON DE TREINADOR

Um dos primeiros goleiros do Tamoyo, Zenon, à esquerda, em pé, aparece nesta foto na condição de técnico, com o futuro prefeito Canelinha agachado bem no canto direito, trajado de cartola.

O time formava com Eduardo Pacheco, Mariana, Guilherme, Pedrinho, Marco Bueno, Antoninho Marques e Ivan, de pé, com o fardamento de duas listras, e, agachados, um primeiro atleta que não identificamos, depois Moacir Santos, Bortoli, Antomar e Flávio Suvaco.

Note-se que a cerca ainda era de madeira, mas o Colégio Stella Maris já estava ali, marcando o fundo na fotografia.

Jorge Queijo, Moacir Jacques, Paulo Silva, Mauro Santos, Silvio Boca e Cidade, em pé. Raul Menezes, Sidnei, Antomar, Osi e Zezinho, agachados.

CONFUNDINDO O ADVERSÁRIO

Este time deu muitas alegrias à torcida rubro-negra viamonense no ano de 1959. Além de muito técnico, contava com a experiência de Moacir Jacques e muitos jovens talentosos, como Mauro Santos, Jorge Queijo, Raul, Osi (na foto) e Paulo Bortoli, que além de bom de bola tinha uma força incomum, capaz de arremessar a bola na cobrança de laterais até o interior da grande área, alcançando a marca do pênalti, causando uma confusão na defesa adversária.

Na foto, o goleiro Mauro Santos, atleta que mais vezes defendeu pelo Tamoyo.

UMA FAMÍLIA DE GOLEIROS

Esta foto do rubro-negro viamonense foi clicada no final dos anos 1950. Nela aparecem, no alto, Moacir Jacques, Jorge Queijo, Mauro Santos, Paulo Silva, Silvio Boca, Cidade e Itamar Carvalho. Agachados, Sidnei, Raul Menezes, Antomar, Geraldo Freitas, Moacir Santos e Fernando Menezes.

O goleiro Mauro Santos foi o atleta que mais vezes defendeu a equipe viamonense e faz parte de uma geração de goleiros da mesma família, a família Santos, cujo primeiro arqueiro foi o seu pai, Zenon. Outro da família que atuou no clube por muito tempo foi seu primo Moacir Santos, filho de Adonis dos Santos.

À esquerda, em pé, Zenon e Antônio Menezes.

TORCEDOR APAIXONADO

Esta fotografia do Tamoyo Futebol Clube confirma a presença constante do sr. Antônio Menezes (de gravata e chapéu), figura ilustre na comunidade viamonense, torcedor apaixonado pelo clube e a todo o momento prestativo com as diretorias do rubro-negro.

Zenon, Antônio Menezes, Jorge Queijo, Paulo Silva, Silvio Boca, Mauro Santos, Pepino, Tabajara e uma pessoa não identificada, em pé. Moacir Santos, Antomar, Amadeu, Osi, Paíca e José Marques, agachados.

Essa equipe deu muitas vitórias ao clube em combates dentro e fora de casa. Na noite do dia 13 de setembro de 1959, na mesma época da foto, o Tamoyo fez a preliminar de Grêmio 1 x 0 Atlético Paranaense, no Estádio Olímpico. O jogo foi contra o juvenil do tricolor, numa noite chuvosa, em que a equipe do rubro-negro viamonense lutou bravamente, mas foi vencida por 2 x 1, com um golaço de fora da área convertido pelo lado direito do campo por Amadeu, para o Tamoyo.

Também nessa época, o Tamoyo fez a sua primeira partida transmitida pelo rádio, o que ocorreu em Vacaria, contra o Brasil da cidade local. O rubro-negro viamonense venceu o jogo por 1 x 0, gol de Geraldo Freitas na segunda etapa.

Os acontecimentos aqui relatados foram transmitidos pelo zagueiro Silvio Boca, que esteve presente em campo nas duas ocasiões.

O TAMOYO CONTRA OS VETERANOS DE PORTO ALEGRE EM JOGO BENEFICENTE

Em 1959, no Waterloo, em apoio aos flagelados da enchente.

No dia 21 de abril de 1959, no Estádio Tiradentes (também conhecido por Waterloo), campo do Grêmio Esportivo Renner, jogaram Tamoyo Futebol Clube e a Associação de Veteranos de Porto Alegre, partida amistosa que tinha como finalidade angariar fundos para os flagelados da enchente que se havia abatido sobre o Estado naquele ano.

O jogo terminou em 1 x 1, com um belo desempenho dos atletas do rubro-negro viamonense, destacando-se Raul Menezes, que fez um golaço num cruzamento de Moacir Santos.

O gol do adversário foi marcado pelo famoso craque do S. C. Internacional, o consagrado Tesourinha.

O que tornou a festa diferenciada foi a presença dos campeões mundiais da Copa de 1958: Florindo, Zagallo, Didi, Pampolini, e o treinador do Botafogo do Rio de Janeiro, João Saldanha.

Na foto, Florindo, Zagallo, uma senhora não identificada, Cegonha, outra senhora não identificada, Pepino, Didi, Silvio Boca, Paulo Silva, Moacir Jacques, Pampolini, Tabajara, João Saldanha, Cícero e Antônio Menezes, em pé. Agachados, um menino não identificado, Diogo, Paíca, Moacir Santos, Osi, Antomar, Raul Menezes e Marcionilo Pacheco (Canelinha).

Curiosidade: o apelido do Estádio Tiradentes – Waterloo – é uma referência ao local onde Napoleão teve a sua derrota, na atual Bélgica.

OS TALENTOS DE MOACIR E PAÍCA

A foto registra momentos antes do jogo contra o Lomba do Sabão no estádio do adversário, com uma vitória do Tamoyo por 2 x 0, com gols de Paíca e Moacir Santos.

A formação era a seguinte: Cici (técnico), Paulo Silva, Tabajara, Mauro Santos, José Marques, Jorge Queijo e Moacir Jacques, em pé. Agachados: Paíca, Antomar, Osi, Moacir Santos e Raul Menezes.

Essa foi uma das melhores formações do Tamoyo em sua história, contando com os talentos de Moacir Santos e Paíca. Moacir foi cooptado pelo Corinthians Paulista, mas ficou pouco tempo, pedindo para voltar para casa. Paíca foi levado para o Grêmio pelo lendário descobridor de talentos Abílio dos Reis, onde jogou por mais de uma década.

O GARIMPADOR DE CRAQUES

Seu Abílio, como era chamado, trabalhou quando jovem na empresa de Saturnino Vanzelotti, dirigente gremista que mais tarde se tornaria presidente do Grêmio e contratou o craque Tesourinha. Tinha tudo para ser gremista (o pai era sócio e torcedor do time), trabalhou tanto para o Grêmio quanto para o Inter e outros clubes, mas virou homem do futebol. Garimpou muita gente boa: Carpegiani, Dunga, Sadi, Dorinho, Falcão, Claudiomiro, Escurinho, Pinga, Flávio Bicudo, entre outros.

Na foto, bem à direita, em pé, está o dr. Cilon, e entre os agachados, o penúltimo é o dr. Egon, ambos médicos em Porto Alegre, convidados de Geraldo Freitas.

A SEGUNDA CAMISA

Esta é outra das formações que o Tamoyo teve nos anos 1960, vestindo a segunda camisa, que tinha as linhas com as cores vermelha e preta na horizontal. No cenário, ao fundo, aparece a Casa Curtis.

Na foto, Dorval, Arlei, Brocoió, Cândido, Geraldo Freitas, Moacir Jacques e dr. Cilon, em pé. Agachados, Cruz, Saraiva, Bortoli, dr. Egon e Moacir Santos.

O atacante Bortoli jogou no Tamoyo nos anos 1960 e também foi profissional pela equipe do Grêmio Esportivo Força e Luz, de Porto Alegre, e na Portuguesa Santista. Era dono de um chute muito forte, às vezes comparado ao de Friedenreich, um jogador do Inter.

Na foto desgastada pelo tempo decorrido, José Marques, Juarez, Zé Carlos, Miguel, Milton e Antônio Marques, em pé. Moacir Santos (apagado na imagem), Osi, Paíca, Eduardo e Raul Menezes, agachados.

CONTRA O PALADINO

Outro dos grandes times do Tamoyo é o que aparece nesta foto, registrada antes do embate com o Paladino de Gravataí, jogo ocorrido no dia 18 de novembro de 1962, com vitória do rubro-negro viamonense pelo placar de 4 x 2. Marcaram para o Tamoyo Osi, Paíca (2) e Raul.

Grandes jogadores do Tamoyo formavam essa equipe, como são os casos de Eduardo, Osi, Moacir e o jovem Paíca, que logo estaria no profissional do Grêmio, onde acabou fazendo uma bela carreira profissional.

CAMPEÃO DA CHAVE 4 NA SÉRIE VERDE DO AMADORES

Na foto, bem à direita, Honório e seu pala de seda. Ao lado, o diploma de campeão emitido pela FRGF.

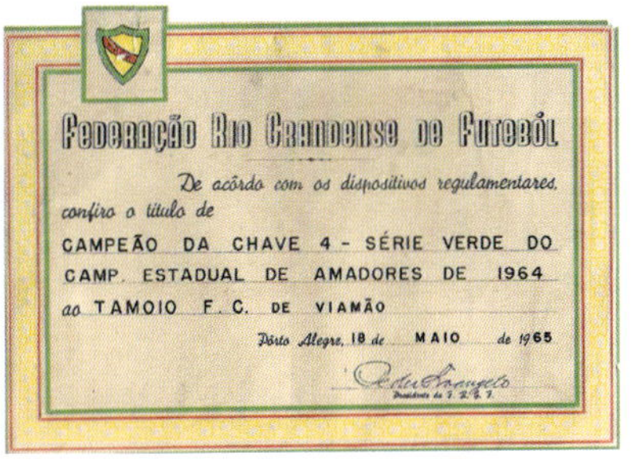

Federação Rio Grandense de Futeból

De acôrdo com os dispositivos regulamentares, confiro o título de

CAMPEÃO DA CHAVE 4 - SÉRIE VERDE DO CAMP. ESTADUAL DE AMADORES DE 1964

ao TAMOIO F. C. DE VIAMÃO

Pôrto Alegre, 18 de MAIO de 1965

Presidente da F. R. G. F.

Nesta foto dos anos 1960, a equipe do Tamoyo Futebol Clube aparece antes de um jogo vitorioso contra o Esperança, de Canoas, com gols de Bito e Eduardo (placar final de 2 x 0).

Foi uma partida muito disputada, onde prevaleceu o domínio do meio-campo do Tamoyo, em que Eduardo mostrou-se um verdadeiro maestro. O time também contou com os ataques velozes de Moacir Santos, que confundiram a defesa adversária.

É essa mesma formação do time mencionado no diploma de campeão da Chave 4 – Série Verde – do Campeonato Estadual de Amadores, em 1964. Na foto acima, Hélio Tibúrcio e Antônio Menezes, cartolas do clube, seguidos de Antônio Marques, Juarez, Javali, Diogo, José Marques, Mauro Santos, João Ferreira e Honório Barbosa, em pé. Agachados, Moacir Santos, Santa Maria, Bito, Eduardo e Miguel.

Nessa época, o sr. Honório Barbosa, pecuarista e plantador de arroz, que aparece na foto com seu pala de seda, era também o presidente do clube, ocasião em que se preocupou em substituir a velha cerca de tábuas que rodeava a área da Várzea da Maria Lopes por um muro de tijolos.

Os "cartolas" eram na verdade os incentivadores do Tamoyo. Na foto, Guilherme e Zenon à esquerda; Dorneles e Valter, à direita; e o presidente Marcionilo Pacheco (Canelinha) agachado.

OS "CARTOLAS"

Novamente, nessa fotografia de meados dos anos 1960, aparecem torcedores e apoiadores do Tamoyo, figuras ilustres da nossa cidade (Viamão), tais como os senhores Guilherme Mros, Zenon Santos, Dorneles, Valter Machado e o presidente do clube Marcionilo Pacheco (Canelinha), pessoas que procuraram sempre manter o clube no alto da sua merecida glória.

Em pé: Guilherme Mros, Zenon Santos, Jorge Queijo, Paulo Silva, Silvio Boca, Mauro Santos, Cláudio, José Marques, Valter Machado e Dorneles. Marcionilo Pacheco, Moacir Santos, Bortoli, Paíca, Moreno e Miguel, agachados.

Nessa equipe começa a se destacar o jovem Paíca, que futuramente vai jogar profissionalmente no Grêmio Futebol Porto-Alegrense, como já contamos em parte.

O time tamoyense que goleou os russos em inusitado confronto.

A história parece incrível, mas realmente se deu no verão de 1962, mês de março. Estava atracado no cais de Porto Alegre um cargueiro soviético batizado com o nome de Rionges. Na tripulação do navio, havia uma equipe de futebol que se organizava a fim de contribuir para manter um bom relacionamento entre os tripulantes e os habitantes do lugar aonde chegavam. Marcava-se, então, uma partida amistosa com uma equipe da comunidade local.

Embora fosse amadora, a equipe do navio Rionges jogava um bom futebol. A embarcação tinha chegado de Cuba recentemente, onde participara de um torneio, conquistando o segundo lugar na competição, perdendo a final por 5 a 2 para o Cerro, que fora vice-campeão cubano em 1961.

O viamonense conhecido como seu Orígenes Abreu (popular Dutra), vislumbrando a possibilidade de marcar uma partida contra a equipe do Tamoyo F. C. de Viamão, tratou de desenvolver as negociações para tal. Confirmado o jogo na Baixada da Maria Lopes, o dia 18 de março nunca mais seria esquecido na histótia do clube.

Foi um domingo de muitos gols, churrasco, cerveja e bastante cachaça. O jogo foi muito disputado, na base do corpo a corpo. Os jogadores russos eram muito grandes e fortes, contudo apresentavam muitas dificuldades técnicas. A equipe da URSS era comandada pelo 1º oficial Evgeny Toriansky e jogou com Mironov, Gerasimov, Vlasov, Begman, Soloyev, Bezginov, Sudomoikin, Sergerv, Zamorev, Maslov e Bugarov.

Equipe soviética numa pose bem à vontade na fotografia daquela tarde de março de 1962.

Antes do início da partida, os jogadores demonstraram a cordialidade na recepção dos brasileiros representados pelo Tamoyo aos atletas russos.

O Tamoyo apresentou-se com Manoel Marques, Antônio Marques, Juarez, José Marques, Eduardo, Paíca, Bortoli, Moacir Santos, Miguel, Dida, Osi e Bito.

O resultado do jogo foi 13 x 1, uma goleada da equipe brasileira e viamonense. Os gols foram marcados por Paíca (5), Eduardo (2), Bito (3), Bortoli (2) e Osi (1).

O gol de honra dos russos foi marcado por Gerasimov.

Apesar da derrota acachapante, os soviéticos – na época vigorava a União Soviética – chamaram a atenção da torcida presente pelo espírito esportivo e a forma física. Mesmo sofrendo uma avalanche de gols, o goleiro Mironov destacou-se com ótimas defesas, que evitaram uma derrota por um placar ainda maior. Os jornais da capital do Estado destacaram o fato, fazendo notícia de que aquela fora a primeira visita de uma equipe de futebol russa ao Rio Grande do Sul. A festa foi encerrada com um suculento churrasco e muitas bebidas, ao som da gaita do "Zeca do Irineu".

Os russos gostaram de tudo, mas acharam a cachaça "um pouco fraca" em comparação com as vodcas com que estavam acostumados.

MARILU É MADRINHA

Dia de presença feminina no Estádio Edgar Leitão.

Antônio Menezes, Zenon, srta. Marilu Veiga (madrinha do Tamoyo) e as mulheres torcedoras do clube, em foto com o time formado por Paulo Silva, Jorge Queijo, Silvio Boca, Mauro Santos, Pepino, Tabajara e Cici (o técnico), em pé. Agachados: o massagista Juca Gattino, Moacir Santos, Antomar Rocha, Amadeu, Osi Guimarães, Paíca e Canelinha.

Nos anos 1960, o futebol feminino ainda não tinha alcançado a relevância que tem hoje, mas como atesta a foto, o rubro-negro viamonense ostentava sua torcida feminina sempre atuante e muito presente no estádio. A madrinha Marilu, ao ser eleita para a função, num concurso organizado pelo jornal *Correio Rural* à época, ganhou como prêmio uma viagem para Montevidéu.

1950 - 1970

Década de

1970

GESTÃO RENOVADORA

Todos os jogadores receberam chuteiras Big e novas camisetas.

Começa o período do presidente Messilva em 1969, seguindo até 1972. Messilva destacou-se na presidência do clube por inovar, construindo, entre outros feitos, um pavilhão para mais de 200 pessoas e uma sala de massagens com vestiários abaixo das arquibancadas.

Todos os jogadores recebiam chuteiras Big – que era o que se tinha de melhor naquela época. As primeiras goleiras de ferro também foram implantadas na sua gestão. O presidente tinha como responsável pelo campo o sr. Bento Fraga, que era funcionário do clube.

O vice-presidente era o sr. Osvaldo Alves. A todo momento, Messilva apresentava novas camisetas com desenhos modernos, mas sempre respeitando as cores tradicionais – vermelha e preta – do clube.

De pé na foto: Emílio, Joel, Bagé, Cabeça, Adair, Bebeto, João Pendão, Adão Segredo, Adão Pinto, Messilva, Osvaldo Alves e seu Nildo. Agachados: Valdir Jacaré, Elmo, Eduardo, Celso Bueno, Sepé, Adriano e Barriga. Na frente, o menino José Batista (Bira), filho do Foragi.

O ANTIGO PAVILHÃO

A gestão do presidente Messilva é sempre lembrada pelas benfeitorias.

Maria do Céu Silva (dona Mariquita), primeira madrinha, posou para a foto, aos 97 anos de idade.

Este evento marca a inauguração do primeiro pavilhão do estádio do Tamoyo, ocorrida no dia 28 de dezembro de 1970, uma estrutura que contava com arquibancada, vestiários, sala de massagem e cobertura de madeira, no melhor estilo da época. O Brasil vivia a euforia da conquista do tri na Copa do Mundo. A obra foi um feito da gestão do presidente Messilva (o segundo na foto à esquerda, em pé) e seu vice Osvaldo Alves (o primeiro da foto à esquerda). Depois da dupla de dirigentes, seguem, também em pé, Antônio Marques, Mariquita (1ª madrinha do clube), Maria Teresa (madrinha na época), Cacau, Bebeto Cabeça, Luizinho Queixada, Joel, Adão Segredo, Mauro e Antomar. Agachados estão Biriri Foragi, Adair, Bito, Elmo, Regis, Delmo, um jogador que não identificamos e Odilon Dubal.

Luizinho Queixada é o segundo fardado, em pé, da esquerda para a direita.

Em jogo festivo de 1970 aparecem, em pé, na foto: Antomar, Osvaldo Alves, João Pendão, Luizinho Queixada, Cacau, Odilon Dubal, Queijo, Mauro, a madrinha do clube, a jovem Maria Teresa Pacheco, e o presidente Messilva.

Agachados: Adair, Raninho, Marola, Regis, Elmo, Delmo, Bito.

Cacau foi um dos melhores cabeças de área do futebol amador e um ótimo batedor de faltas, além de ser um atleta que jogava limpo, cometendo pouquíssimas infrações.

O time também contava com a velocidade e o oportunismo de Marola (Erni), que costumava deixar a defesa adversária enlouquecida.

Por muito tempo, nessa época, a goleira do lado da Casa Curtis tinha num dos cantos uma diferença para mais de 10 cm, aproximadamente, para cima. O que só foi corrigido muito tempo depois.

Nessa equipe do rubro-negro viamonense tinha um zagueiro que jogava muito firme, sempre na bola e jamais no adversário. Era o Luizinho Queixada, que, certa vez, perguntado sobre quem foi o seu melhor parceiro de área, respondeu: “O meu melhor parceiro de área foi o Furão, quando joguei na equipe adversária do Guarani Futebol Clube”.

Na foto, em pé, Chicão, João Pendão, Joel, Celso Bueno, Bagé, Adão Segredo, Bito, Adair e o técnico Antomar. Agachados, Pipico, Raninho, Herédio, Cacau, Delmo e Elmo Fraga.

O RUBRO-NEGRO

Esta equipe do Tamoyo do início dos anos 1970 deu muitas alegrias a sua torcida, tanto em jogos dentro quanto fora de casa.

A velocidade dos atletas Delmo Matos e Elmo Fraga – que faziam uma correria no ataque – facilitava a vida do centroavante Bito.

O técnico Antomar era um admirador do futebol dos jogadores Elmo e Delmo.

Nessa mesma época, o Tamoyo foi fazer uma preliminar no Olímpico contra o juvenil do Grêmio, num jogo do Campeonato Nacional entre Grêmio e Atlético Paranaense. O Tamoyo usava essas camisetas que aparecem na foto. No intervalo do jogo, o presidente do Atlético – Carlos Zehnpfennig – veio falar com o presidente do Tamoyo, o senhor Messilva, para elogiar o fardamento rubro-negro. Prontamente, então, o nosso presidente presenteou o Atlético com uma camiseta do clube viamonense.

Atletas dos dois times na foto de jogo festivo em 1970.

Em pé, Emílio Allem, Antônio Menezes, Joel, Adriano, Luis Carlos, Adair, Altemir, Jair, Bebeto, Gilnei, João Pendão, um atleta não identificado, Cabeça do Partenon, Caio, Adão Pinto, Messilva, Osvaldo Alves e seu Nildo.

Agachados, Elmo, Mazinho, Celso Bueno, Flecha, Eduardo, Paíca, Sepé, Paraguaio, Adão Segredo, Júlio César e Bagé. A criança agachada é, novamente, o Bira, filho do Foragi.

A formação da foto foi organizada para o jogo festivo do dia 14 de setembro de 1970, aniversário de Viamão, no Estádio Edgar Leitão Teixeira, quando o Tamoyo enfrentou o Trianon, um combinado de profissionais amigos do Paíca, organizado pelo cabeleireiro Nei Oliveira.

Foi um espetáculo que ficou registrado na memória, onde os jogadores deram um show para a imensa torcida presente, em especial com a atuação do jogador Flecha, então atacante do Grêmio e da Seleção Brasileira, fato que abrilhantou ainda mais a tarde esportiva na Baixada. Logo após o jogo, a diretoria do clube recepcionou os jogadores com um suculento churrasco no Clube Juvenil.

Camisetas com três listras, em vermelho, branco e preto.

LINHAS NA VERTICAL

Este time de 1972 – que vestiu a camisa rubro-negra com listras na vertical, criada pelo presidente Messilva – era treinado pelo técnico Antomar Rocha, conhecido e admirado pela torcida tamoyense por somar muitas vitórias. Ele contava com um grupo muito forte, que tinha uma defesa comandada pelo habilidoso Adão Segredo. Possuía ainda um meio de campo com a maestria de Eduardo e Cacau, finalizando com um ataque veloz, tendo Bito à frente.

A fotografia foi tirada no dia 3 de setembro, no jogo amistoso contra a equipe do Guaíba F. C., com vitória do Tamoyo por 3 x 1, com gols de Bito, Eduardo e Adriano.

Elmo, Bito, Raninho, Joel, Bebeto Cabeça, Adão Segredo, Cacau e o técnico Antomar Rocha, em pé. Bagé, Eduardo, Adriano, Nésio, Celso Bueno, Adair Galo e João Pendão, agachados.

Delegado Zambonin e dr. Pinto, bem à esquerda na foto.

CONTRA O JUVENIL DO GRÊMIO

No aniversário de Viamão no ano de 1972, o Tamoyo enfrentou – no Estádio Edgar Leitão Teixeira – o juvenil do Grêmio de Porto Alegre, vencendo o tricolor pelo placar de 2 x 1. Gols marcados por Marola e Delmo, para o Tamoyo, e Tupã, descontando para o Grêmio.

Na foto, o delegado Zambonin (então vice-presidente), dr. José Pinto, Antônio Menezes, Neto, Ivo, Bagé, Odilon Dubal, Bruno César, Bebeto, Cacau, Marçal, o técnico Antomar (então também presidente) e Ciro Reis (tesoureiro), em pé. Agachados, Delmo, Elmo, Bito, Marola, Ivanzinho, Edvar, Sérgio Vieira e Zeca.

Nessa boa equipe formada nos anos 1970, podemos ver o centromédio Cacau, que guarnecia a frente da área com muita lisura e, com grande habilidade, dificilmente cometia faltas, nunca tendo uma expulsão. Quando oportunizava-se uma falta na frente da área adversária, era ele o conduzido para bater, o que geralmente resultava em gol para o Tamoyo. Realmente, o Cacau merecia o Prêmio Belfort Duarte*.

* Belfort Duarte era uma condecoração concedida pela CBF para jogadores que passavam dez anos sem sofrer expulsão, tendo jogado pelo menos 200 partidas nacionais ou internacionais oficiais.

Formação que enfrentou o América de Gravataí em 1973.

DEFESAS DIFÍCEIS

Em pé, João Barbeiro (técnico), Deco, Maurivan, Barriga, João Luís, Bruno César, Queijo, Marçal e o patrono Edgar Leitão Teixeira. Agachados, Mussum, Nando, Bode, Caçapa, Marola, Ivan e Pimenta.

No dia 18 de novembro de 1973, num jogo amistoso, o Tamoyo venceu o América de Gravataí, na Baixada da Maria Lopes, por 3 x 1. Marola (2) e Nando (1) fizeram os gols para o rubro-negro viamonense. A atuação do goleiro Bruno Bürgel, do Tamoyo, garantiu a vitória, pois defendeu um pênalti e fez defesas difíceis durante o jogo.

Formação com um dos maiores saldos de gols da história.

A MAIOR GOLEADA

Na foto, de pé, Miro, Ico, Clóvis, Bebeto, Pedrinho, Fábio, Jorge, o técnico Dálcio e seu Wilson. Agachados, Zeca Porto Alegre, Queijo, Téia, Chiquinho, Bode, Nenê e Marola.

Esse time do primeiro semestre de 1978 realizou 20 partidas, com 16 vitórias, dois empates (contra o Dmae e o Rodoviário F. C.) e duas derrotas (contra o expressinho do Grêmio e Os Bambas, de Porto Alegre).

Naquele ano, essa formação converteu 73 gols, tendo sofrido 23, ficando com um saldo positivo de 50 tentos.

Foram goleadores: Marola (18 gols), Zeca (15), Chiquinho (13), Bode (9), Queijo (7), Clóvis (4), Nenê (2), Bebeto Turbina (2), Quarentinha (2) e Téia (1).

A maior goleada imposta pelo Tamoyo nessa temporada foi de 8 x 0, no dia 4 de abril, no Vila Mapa Futebol Clube. E a maior goleada sofrida foi na partida contra o expressinho do Grêmio (5 x 0), no dia 7 de maio, no Estádio Olímpico, em Porto Alegre.

Em 1979, esse mesmo grupo foi campeão da Chave Serra-Litoral do Campeonato Gaúcho Amador.

Pose para foto antes de encarar o Lomba do Sabão.

Na foto colorida em destaque, de pé, da esquerda para a direita, apresentam-se Trancão, Ico, Pedrinho, Jorge, Fernando Ganso, Manoel, Fábio, Caçapa, Marçal, Jaime, Bernardino (massagista), Gilberto Tucano e Dálcio Dorneles. Agachados, Nando, Clóvis, Guinho, Marola, Negrão, Bode, Quarentinha, Preguinho e Ricardo Padilha.

A imagem antecedeu uma partida do Tamoyo contra o arquirrival Lomba do Sabão ocorrida em 1978, período em que o clube era presidido pelo Trancão. O técnico do time era o professor Gilberto Tucano. Queijo chegou depois da foto.

Mesmo tendo um time muito preparado, o Lomba do Sabão perdeu por 3 x 0 para o Tamoyo, com gols convertidos pelos atletas Marola, Queijo e Bode.

O Tamoyo com uniforme predominantemente branco.

DE BRANCO

Nesta foto, em 1979, aparecem Jorge Ivo (Toco), Sabará, Marçal, Bruno César, Deco, João Luiz, Barriga, Queijo, Maurivan, Zé Paulo Tóffoli (presidente) e João Barbeiro (técnico), em pé.

Agachados, Pimenta, Guto, Caçapa, Marola, Ivanzinho, Nando, Bode e Luiz (primo do Queijo).

Podemos ver ao fundo o pavilhão construído pelo presidente Messilva ainda acomodando a torcida e pintado nas cores vermelha e preta, com os distintivos do clube em destaque nas paredes internas.

Caçapa, Jorge, Ico, Clóvis, Pedrinho e Miro, em pé. Quarentinha, Bode, Téia, Queijo e Marola, agachados.

TAMOYO X JUNIORES

Na tarde do dia 18 de março de 1979 houve festa na Várzea da Maria Lopes, quando jogaram Tamoyo Futebol Clube e os juniores do Grêmio Futebol Porto-Alegrense. O Estádio Edgar Leitão Teixeira estava lotado para conferir, já na preliminar, o 2º quadro enfrentar o infantojuvenil do tricolor, em partida combinada, que contava naquele dia com o viamonense Paulo Roberto (que no futuro viria a ser campeão da Libertadores e do Mundial de Clubes pelo profissional).

O jogo de fundo, espetáculo que todos esperavam, foi aguerrido e muito disputado tanto técnica quanto fisicamente, tendo terminado com o placar de 1 x 1. Tornou-se inesquecível uma grande jogada pela esquerda do atacante Marola com a conclusão do avante Queijo. Na equipe dos juniores do Grêmio estavam Bonamigo e Baidek, que compuseram, junto com Paulo Roberto, a equipe do Grêmio campeã da América e do mundo. Participou também o atleta Nestor Simionato.

Mauro Oliveira, Barbosa, Pedrinho, Miro, Clóvis, Nenê e o técnico Dálcio Dorneles, em pé na foto. Bozó, Chiquinho, Bode, Téia, Bebeto Turbina, Zeca Porto Alegre e Marola, agachados.

O goleiro dessa formação, Barbosa, homônimo do goleiro da Seleção Brasileira na Copa de 1950, jogador de raiz da Vila Lisboa, foi profissional no Esperança de NH, no Botafogo de Ribeirão Preto e no Comerciário de Criciúma.

Com acréscimo do goleiro Ico, que substituiria Barbosa, que foi para o Guarani do bairro Mendanha, em Viamão, essa equipe seria sagrada campeã regional, chave Serra e Mar, e 3ª colocada geral do Absoluto de Futebol Amador-RS, em 1979.

Os meias Bode e Chiquinho ficaram entre os artilheiros da competição, com 13 gols cada.

Em pé, Henrique, Clóvis, Bode, João Luiz, Galeano e Orfeu. Agachados, Cadinho, Chico Camarão, Téia, Wilson Roberto, Rogério Bicão e Gucho.

COM APOIO DA TORCIDA

Neste dia, um domingo de 1980, a equipe do Tamoyo enfrentou o time do Beira-Mar de Tramandaí no Estádio Edgar Leitão. A torcida lotou o pavilhão do clube. O jogo aguerrido terminou com a vitória por 2 x 1, gols de Gucho e Wilson Roberto (Cabeça), para o índio viamonense.

O TAMOYO DE 1982

Nesta imagem, formação do Tamoyo no ano de 1982, com o fardamento nº 2, sob a batuta do técnico Antomar e do presidente Ferrinho (ambos bem à direita na foto), com Jorge Aristides, Bode, Valdomiro, Miro, Serjão, João Luís, Orfeu, um goleiro que não identificamos e Téia, em pé. Serginho, Paulo Mandioca, Lalaco, Gibinha, César, Gucho e Jorge Figueroa, agachados.

Outra partida contra o juvenil do Grêmio, desta vez em 1988.

PRELIMINARES

Dálcio Dorneles, Mauro Felipe Macafa, Orfeu, Breno, Paulinho Pirata, Paulinho Tatuzeiro, Nenê Balaca, Toninho, Donga, Garrafa, Nenê Barreto e Airton Cocota, em pé. Juca Gattino (massagista), Clóvis Tropeiro, Paulo Mandioca, Everton, Joel, João Carlos, Serginho, Careca, Gilson, Ferrão e Edinho, agachados.

A foto é um registro de uma das muitas preliminares que o Tamoyo jogou contra o Juvenil do Grêmio no Estádio Olímpico. Essa partida foi em junho de 1988.

Esse time foi formado na gestão do presidente Arnaldo Marçal (Donga), que fez uma ótima administração no rubro-negro viamonense. Contava com o apoio do ex-secretário municipal Airton Souza (Cocota). Airton tinha um sobrinho que se tornou famoso no futebol, o goleiro Emerson, que jogou no Grêmio e depois no Bahia, onde mais tarde ainda foi transformar-se no presidente do clube baiano.

Mauro Macafa, bem à esquerda, em pé, era o goleiro.

A TRADIÇÃO

O Tamoyo dos anos 1980 trazia no gol a tradição da família Santos (com Mauro Felipe Macafa) e vários jogadores de ataque com muita qualidade, como eram os casos de Cabeça e Paulo Mandioca.

Em pé, Mauro Felipe, Cabeça, Vladimir, Paulinho Pirata, Nenê Balaca, Karina, Betinho e Gladimir. Agachados, Cado, Paulo Mandioca, Chico Camarão, Serginho, João Carlos, Paulinho Tapajós e Ferrão.

Equipe marcante do período de Adair Galo e Carlinhos Rocha como presidente.

UM ATAQUE AGRESSIVO

Adair Alves, o presidente Carlinhos Rocha e Antomar (técnico), seguidos dos atletas Clóvis, Rogério Bicão, Nenê Balaca, João Luiz, Henrique, Galeano, um jogador que não identificamos, Orfeu e Dioli (roupeiro do clube), em pé. Chiquinho, Téia, Batista (Rosa Franco), Paulo Mandioca, Serginho, Batata e Gucho, agachados.

No ano de 1985, quando o Tamoyo passou a ser dirigido pelo desportista Carlinhos Rocha, uma pessoa muito querida no meio futebolístico de Viamão, então contando com o apoio do técnico Antomar, montou-se uma equipe forte com uma defesa formada com Clóvis Camundongo e Henrique, jogadores experientes, e um meio de campo com Téia, Batista (representantes da gloriosa Lisboa) e o fino trato de Rogério Bicão. Tinha também um ataque agressivo, com Paulo Mandioca e Chiquinho, goleadores natos.

Arruda, na diretoria, e Nenê Balaca, à esquerda, de pé.

Vilson Arruda (então vice-presidente), Nenê Balaca, Toninho, João Carlos, Bode, Orfeu, Betinho, Zílio, Gilson e Vladimir, em pé nesta foto. Serginho, Careca, Cado, Gladimir, Paulo Mandioca e Julião, agachados.

Essa equipe é de 1988, quando o Tamoyo era presidido pelo seu ex-jogador Donga, contando com atletas como Gladimir, Betinho, Zílio e Julião, que eram destaques do futebol de salão na cidade e região metropolitana.

Equipe que defendeu o Tamoyo no Amador da FGF em 1985.

ATÉ AS SEMIFINAIS NO AMADOR

Em 1985, na gestão do presidente Carlinhos Rocha, com o vice-presidente Elmo Almeida, o Tamoyo estava com uma equipe bastante competitiva, participando do Campeonato Amador da Federação Gaúcha de Futebol.

Nas oitavas de final, o rubro-negro saiu vitorioso na partida contra o Guaíba, em campo neutro, fechando o jogo com o placar de 2 x 0.

Nas quartas de final, no Estádio do Zequinha, no Passo D'Areia, o adversário foi o Sapucaiense, com o Tamoyo vencendo pelo placar de 3 x 1, saltando para a fase semifinal.

Nessa etapa, acabou derrotado no campo do Serrano, em Carlos Barbosa, perdendo por 3 x 1 para a equipe do São Domingos, time de Casca, ficando de fora da final.

Uma curiosidade de uma das partidas da temporada deu-se logo quando as equipes entraram em campo: os fardamentos tinham as mesmas cores. A solução encontrada foi o Tamoyo usar as camisas do Serrano. Assim, pela única vez na história do clube, o rubro-negro viamonense jogou de VERDE.

O jogo foi disputado, com muitos chutes no gol do adversário, destacando-se a atuação do goleiro, considerado o melhor em campo.

Nesta mesma partida, numa escapada do atacante do time de Casca, que deixou o zagueiro do Tamoyo (Nenê Balaca) pra trás, o clube viamonense tomou seu primeiro gol.

O time formou com Clóvis, Nenê Balaca, Henrique, João Luís, Paulo Tatuzeiro, Bode e Claudio Leite, em pé. Gelson, Paulo Mandioca, Bolão, Batista (Rosa Franco) e Rogério Bicudo, agachados.

Rogério Goularte (técnico), João Carlos, Bode, Mano, Vitinho, Bebeto Pirata, Miro, Rogério Bicão, Marco Aurélio e Romer Guex, em pé. César Camargo, Nanico, Chiquinho, Wilson Roberto, Ferrão, Edinho, César, Gilson e Cado, agachados.

FORA DE CASA

Este time muito bem treinado pelo Rogério Barata obteve ótimos resultados dentro e fora de casa.

Vitória em Capão da Canoa
No domingo, dia 27 de setembro de 1986, na época deste time, no Estádio do Mariscão, o rubro-negro viamonense derrotou por 3 x 2 a equipe do Capão da Canoa Futebol Clube. Apesar do precário estado do gramado, devido às fortes chuvas que assolaram os dias anteriores, as equipes apresentaram um futebol de bom nível técnico. Mais uma vez o time dirigido pelo técnico Barata mostrou atravessar uma excelente fase. Wilson Roberto (Cabeça), César e Edinho marcaram os gols do Tamoyo.

Tamoyo vence em Igrejinha
Na noite de sábado do dia 11 de outubro de 1986, na cidade de Igrejinha, o rubro-negro da Baixada derrotou a equipe local por 3 x 1. Usando um quadrado no meio de campo com Bode, Ferrão, César e Edson, o técnico Rogério Barata levou vantagem. No ataque, o que contribuiu foi a velocidade de Wilson Roberto (irmão do jogador Paulo Roberto, do Grêmio) e Áureo. O Tamoyo jogou com Marco Aurélio, João Carlos, Miro, Cado, Téia (Nilton), Bode, Edson, Ferrão, César (Cédio), Áureo e Wilson Roberto. Gols de Ferrão, Wilson Roberto e Áureo.

Rui da Silva Rosa, o popular Sabará, o presidente Carlinhos e o técnico João Barbeiro, seguidos de João Luis, Breno, Miro, Téia, Orfeu e Gilberto, em pé. Tado, Clóvis Tropeiro, Paulo Mandioca, Bode, Bebeto Turbina e Bebeto Pirata, agachados.

Esta foi uma das melhores formações da época do presidente Carlinhos Rocha, que acabou se tornando a base do time de 1985. Essa equipe, já no mata-mata do Campeonato Amador, após classificar-se na chave de grupos, acabou eliminada pela bom time do Internacional de Arroio Grande.

César, ao centro, com a bola.

ZAGA MARCANTE

Esta formação é do início dos anos 1990 e apresentava jovens atletas, contando com uma zaga que marcou época, com Paulinho Tatuzeiro e Henrique, César e Chico Camarão no ataque.

Em pé, Gucho, Mauro Felipe, Rogério Bicão, Clóvis, Henrique, Paulinho Tatuzeiro e o técnico Augusto Ventana. Piriquito, César, Batista, Chico Camarão e Paulo Mandioca estão agachados na imagem.

Dálcio é o terceiro da esquerda para a direita, no time da década de 1990.

DEDICAÇÃO E EMPENHO

Na foto, da esquerda para a direita, em pé, os cartolas João Ferreira, Ial Nunes e Dálcio Dorneles, seguidos de Ico, Paulo Porca, Queijo, Ronaldo Ribeiro, João Luiz, Rubens Piriquito, Marçal, Pedrinho e Aurélio.

Marinho, Pedrinho, Marola, Nando, Sapato, Bode, Caçapa, Clóvis e Maurivan, agachados.

O técnico Dálcio Dorneles foi uma lenda pela sua dedicação e empenho em todos os setores do clube. Com apoio do presidente Ial Nei de Souza Nunes ele criou um time muito forte para a disputa dos campeonatos na gestão de 1996-1997.

Juca Gattino de azul, à esquerda.

AO MASSAGISTA, TUDO!

Nesta imagem de 1990, o destaque fica para o massagista Juca Gattino – funcionário da tradicional Farmácia Brasil do seu Alencarino. Ele aparece de azul. Juca marcou época no clube pelos serviços prestados com sua habilidade para recuperar os atletas lesionados, o que era comum, especialmente no futebol de várzea.

Na foto, Juca Gattino (massagista), Julião, Paulinho, Paulo Tapajós, Zuza, Nenê Balaca, Vladimir, Mauro Felipe, Marciano (presidente), João Ferreira, Queijo e Dioli, em pé. João Carlos, Chico Camarão, Gilson, Pataca, Cado, Ferrão, Paulo Mandioca e Bode, agachados.

Formação que jogou o Campeonato Amador Gaúcho.

Pedrinho Vidal é o último à direita agachado.

CAMPEONATO AMADOR

Esta foi uma das grandes formações do Tamoyo, dirigida pelo experiente técnico Antomar Rocha, com a direção do presidente Ial Nei de Souza Nunes. Juntos, eles montaram uma equipe competitiva para o Campeonato Amador Gaúcho. Entre os atletas podemos ver Pedrinho Vidal, que depois defendeu o Pelotas, no ano de 2001, onde foi considerado o melhor lateral do Campeonato Gaúcho. O fato projetou o atleta e colocou-o na mira do técnico Tite. Ele foi, então, para o Grêmio Porto-Alegrense já no ano seguinte. Mais tarde, foi defender a equipe do Internacional de Muricy Ramalho.

Equipe vice-campeã da Copa Quarta-Feira.

DESCOBRINDO TALENTOS

A equipe da foto foi vice-campeã da Copa Quarta-Feira, promovida pelo jornal que marcou o cotidiano viamonense nos anos 1990. O periódico projetou diversos expoentes no cenário estadual: os jornalistas Luciana Kraemer (RBS), Chico Izidro (*Correio do Povo*), o cartunista Gilmar Fraga, e o fotógrafo Mauro Vieira (*Zero Hora*) e ainda o professor José Carlos Goularte (TVE). O jornal era dos irmãos Ortiz (Vítor e Hélio) em sociedade com Mauro e Zé Carlos.

A formação tamoyense vinha, em pé, com Rogério, André, Maninho, Serginho, Silvinho, Catatau, Dico, Dálcio Dorneles (vice-presidente do clube), Romer Guex (então presidente) e Norbeto Boita (técnico). Petiço, Marcelo, Ricardo Paíca (com a menina Grazielle no colo), Itamar, Vânio, Kaico e Nenê, agachados.

O escore da partida que sagrou o Tamoyo vice-campeão, naquele dezembro de 1991, foi de 1 x 1, contra o time do Ala Jovem.

PELO ESTADO

Time formado na gestão do ex-presidente Donga, que percorreu o Estado representando o Tamoyo em diversos jogos nos anos 1990, com Orfeu, Gilson, Karina, Nenê Balaca, Choco, Gladi, Zílio, Maninho, Adair Alves e Garrafa, em pé. Agachados, Paulão, Giba, Serginho, Cado, Renatinho Drumond, Ferrão, Donga e Claudinho. Não foi possível identificar o menino.

Na foto, de boné, agachado, o presidente Donga

Bem à esquerda, Rogério Goularte Barata, e bem à direita, o professor Marçal.

DESTAQUES

Este time tinha como técnico o viamonense Rogério Goularte Barata, formando com Gigio, Marco Aurélio, Felipe, Miro, Bebeto Pirata, Vitinho, seguidos do professor Marçal, em pé. Agachados, Juarez Quintanilha, Silmar, Edinho, Cacaio e Cado.

O atleta Juarez Quintanilha hoje é massagista do S. C. Internacional de Porto Alegre, onde participou das maiores glórias do Inter, sempre presente no atendimento aos craques colorados.

Entre os atletas deste time, muitos vieram da Santa Isabel.

DO SALÃO PARA O CAMPO

O rubro-negro, fardado com patrocínio da Pavioli, teve um domingo com vários craques a sua disposição, tendo posado para esta foto oficial, no Estádio Edgar Leitão Teixeira, sob a presidência de Donga (Arnaldo Marçal). Muitos dos jogadores que aparecem na imagem vinham do futebol de salão praticado nas quadras da Santa Isabel. Eles eram próximos do presidente Donga, habilidoso jogador e muito bem relacionado nessa modalidade.

Esta imagem dos anos 1990 traz os seguintes jogadores: em pé, Roberto Rodrigues, Mauro Felipe, Careca, Zílio, Orfeu, Zuza, Karina, Nenê Balaca (irmão do famoso Choco), Vladimir, Nei e Miro.

Agachados, Donga, Garrafa, um jogador que não conseguimos identificar, Gibinha, Paulo Mandioca, Serginho, César, Cadinho e João Carlos.

**De camisa branca,
o presidente Renatinho Fraga.**

A FORMAÇÃO MAIS JOVEM

Na foto, uma das formações mais jovens do primeiro quadro do Tamoyo, que surgiu com o incentivo do então presidente Renato Fraga, na sua gestão 1998-1999. Esse time revelou dois novos talentos tamoyenses, Dudu e Renatinho, que viriam, no futuro, a dar muitas alegrias ao clube rubro-negro.

Em pé, Devo, Haroldo (treinador), Renato Fraga (presidente), Ratinho, Dé, Juruna, Marcão, Luciano e um jovem que não identificamos.

Agachados, Diego, Leco, outro que não identificamos, Alexandre, Sá, Renatinho, Dudu, Didi, mais um que não identificamos e Anjinho.

BITAXBAL
TFC
7-9-44

CAPÍTULO III

As diversas equipes de aspirantes (2º quadro)

"O que finalmente eu mais sei sobre a moral e as obrigações do homem devo ao futebol..."

Albert Camus

O 2º QUADRO DE 1961

Vem de longa data a tradição do Tamoyo na organização das equipes aspirantes, chamadas de "2º quadro", que sempre foi o caminho mais curto para o jogador que queria ascender ao time principal.

Esta equipe da foto, de 1961, organizada pelo fundador tamoyense Moacir Jacques (bem à esquerda), tinha Fernando Menezes, Eduardo, Milton, Carlos, Macau e o professor da ETA José Carlos, de gravata, em pé.

Parobé, Zezinho, Marco Bueno, Júlio Marafiga, Cabo Marafiga e Manoel Marques, agachados.

De capote e boina, Moacir Jacques, um dos fundadores do Tamoyo, ajudando a organizar o time dos mais jovens.

UM DOS GOLEIROS DA FAMÍLIA SANTOS

Posaram para esta foto Milton Santos, Flávio Suvaco, Marquinhos Bueno, Rogério Mendelski, José Paulo e Mariana, em pé. Bito, Raul Menezes, Silvio Pinico, Macau e um atleta que não identificamos, agachados. A gurizada que à época, nos anos 1960, formava o time de aspirantes do Tamoyo.

O goleiro Milton Santos entre os atletas.

Milton Santos – outro goleiro da família Santos – era filho do sr. Milcíades Azeredo dos Santos, ambos tendo sido diretores e proprietários do jornal mais antigo da cidade de Viamão, o *Correio Rural*, fundado por Alcebíades Azeredo dos Santos, seu avô, pai também de Zenon dos Santos.

Também na foto o zagueiro Rogério Mendelski, que deixou a carreira de futebol logo cedo e foi brilhar nas rádios como um grande locutor e comentarista político.

Na foto em que o fotógrafo se atrapalhou no enquadramento aparecem, em pé, Betinho, Airton, Martinica, Brandão, Zé Carlos. Agachados, Pipico, Agenorzinho, Haroldo, Polinho, Cau e Osi, enquanto jogavam no 2º quadro.

ANO DIFÍCIL EM 1966

Era o ano de 1966, João Ferreira era o presidente do clube, Antônio Menezes era o vice e o tesoureiro era Haroldo Franco - atuando como ministro de planejamento (atacando em todas), com Nelton Rocha Rios de secretário. Os quatro deram condições para o Tamoyo funcionar como uma entidade esportiva e social. Foi feita na cidade uma campanha para ajudar o clube que tinha o nome de "Tamoyo Esquema 66". O sr. João Leão foi uma pessoa de uma dedicação extrema nesse período, sendo o grande auxiliar na secretaria de patrimônio. Manoel Onofre de Araújo era o treinador do primeiro quadro.

Uma derrota frente ao juvenil do Internacional por 9 x 0, numa noite de verão, quase levou ao término da campanha do Tamoyo.

Quando veio o Campeonato Estadual, aconteceram fatos lastimáveis no estádio. Com a visita do Clube Concórdia de Canoas - e por falta de pulso do juiz - criou-se um ambiente de insegurança e violência, culminando com um massacre da equipe adversária, tendo o juiz apanhado do círculo central até o vestiário.

Nessa época, o 2º quadro vinha tendo um desempenho notável sob a batuta do técnico Antomar. Esteve um ano inteiro invicto, com um plantel regular e sem alterações, o que levou o grupo a ganhar a alcunha de "academia do Antomar".

BITO NO 2º QUADRO

Nos anos 1950, a gurizada escolhida pelo técnico do 2º quadro almejava jogar na primeira equipe do Tamoyo. Como vemos na foto, tendo a bola como sua inseparável companheira por muitos anos, o jovem Bito já despontava como um promissor centroavante que mais tarde marcou época no rubro-negro viamonense.

Na foto, professor Flávio (ETA), Silveira, Enor, Rubi, Paulo Leão, Silvio Pinto, Fernando Menezes e Hélio Cabeça, em pé. Agachados, Cal, Flávio, Valdir Quadros, Bito, Chá de Funcho e Tadeu.

O centroavante Bito, entre os agachados, com a bola, ainda no 2º quadro.

JOÃO FERREIRA E SEU NILDO

Fotografia registrada em 1968, na gestão do presidente João Ferreira, seguido de Dálcio Dorneles, Lobato, Paulinho Frankenstein, Júlio Marafiga, Valdir Jacaré, Valdir Tremilique e seu Nildo, em pé. Vanderlei (Lei), Sepé Tiaraju Vargas, Pipico, Trancão e Buque Figueiredo, agachados.

Seu Nildo, bem à direita, de pé, descobridor de talentos.

Seu Nildo, à direita, era um descobridor de talentos, tinha olho clínico e revelou vários jogadores para a equipe principal. Na foto, uma das maiores revelações da época, Vanderlei (Lei), primeiro agachado à esquerda, chegou a jogar na base do Botafogo e do Vasco do Rio de Janeiro, mas não resistiu à distância e à saudade da terrinha e retornou.

Quase 50 jogos invictos sob o comando de Moacir, no início da década de 1970.

QUADRO HISTÓRICO DOS ASPIRANTES

Moacir Jacques (técnico), Remião, Bentevi, Luisinho do Índio, Dálcio Dorneles, Júlio Marafiga, Marçal e Pimentão, em pé. Ivanzinho, Lei, Beto Vargas, Barriga, Sérgio Vieira, Betinho Gibi e Nando, agachados.

Esse foi um dos melhores quadros de aspirantes ao time principal, tendo obtido uma sequência de 49 jogos de invencibilidade. Muitos dos jogadores serviram depois ao quadro principal, como Marçal, lateral-esquerdo; Vanderlei (Lei), ponta-direita; Barriga, zagueiro; Ivanzinho, Beto Vargas e Vieira, meio-campistas; e Nando, atacante.

FONTE DE JOGADORES

Paulinho Frankenstein, Dálcio Dorneles, Osi, Valdir Jacaré, Antomar, Fernando e seu Nildo (técnico), em pé. Agachados, Pimentão, Fernando Pegoraro, Pipico, Ivanzinho, Ted e Beto Vargas.

A foto, da década de 1970, retrata a nova mentalidade diretiva do presidente Messilva Messina da Silva, trazendo já muitos garotos promissores – misturados aos veteranos que saíam do quadro principal para jogar no 2º quadro. A partir da gestão Messilva, o 2º quadro passou a ser a principal fonte de jogadores do quadro principal.

O 2º quadro na era do presidente Messilva (o corte da foto é do documento original).

BANDEIRAS HASTEADAS NO PAVILHÃO

A foto mostra os cartolas Edgar Leitão Teixeira e o presidente Messilva, seguidos do técnico Nildo, Valdir, Luisinho do Índio, Júlio Marafiga, Negrinho, Dálcio Dorneles, Bentevi, Pimentão, Barriga, Buque Figueiredo, Paulo José e Ivan Silva, em pé. Queijo, Nando, Lei, Beto Vargas, Sepé, Sérgio Vieira, Betinho e Dudu, agachados.

A criança na frente é João Francisco Fraga (Chiquinho), que veio a ser no futuro jogador de muitos gols e um presidente marcante do clube.

Edgar Leitão, Messilva e seu Nildo, bem à esquerda.

Como se pode ver na foto, a construção do Pavilhão Vermelho e Preto foi marcante, tendo sempre à frente as bandeiras hasteadas (do Tamoyo, de Viamão, do Rio Grande e do Brasil), ilustrando a atmosfera do estádio nos domingos de futebol. O presidente Messilva sempre foi preocupado com a organização do clube, mantendo-o sempre bem apresentado para que os visitantes levassem a melhor impressão possível do rubro-negro viamonense.

OS PRIMEIROS TOQUES DE MAROLA

Nesta foto, no início dos anos 1970, podemos ver o segundo quadro do Tamoyo na gestão do presidente Messilva, tendo como técnico o seu Nildo. Era o início da trajetória do jovem Marola, então com 17 anos, já fazendo presença na artilharia rubro-negra, ao lado do grande atacante Sepé.

Histórica formação do 2º quadro tamoyense.

Dálcio Dorneles, Luís Paulo, Jaime Leitão, Valdir Jacaré, Fernando Pegoraro, Luisinho do Índio, Osi e seu Nildo, em pé. Betinho Gibi, Marola, Pepico, Sepé, Beto Vargas e Fernando Távora, agachados.

Esse grupo, com acréscimos de Sérgio Vieira, Lei, Ivanzinho, Barriga Farias, Bode e Nando, viria a formar o que muitos consideram o melhor 2º quadro que o clube teve, com seu Nildo.

O 2º TIME NOS TEMPOS DE ANTOMAR

Foi na gestão do presidente Antomar Rocha (1973) que o 2º quadro em atuação tinha esta formação da foto: Barriga, Ronaldo Ribeiro, Nando, Luizinho Queixada, Neroci, Pimentão e Dálcio Dorneles, em pé, com uniforme diferente, desenhado pelo então presidente Messilva na gestão anterior.

Haroldo Franco, grande carisma na cidade, entre os agachados, bem à direita.

Agachados estão Beto Vargas, Sérgio Vieira, Sepé Tiaraju Vargas, Fernando Pegoraro, Bolachão (Luís Fernando Martins) e Haroldo Franco.

Na imagem acima (década de 1970), Ferrinho, Joel, Betinho, Érico, Martinica, Osmar, Valdir e Valtinho, em pé. Felipe, Célio, Erédio, Haroldo e Buque, agachados, com o menino Paulinho Freitas.

Osmar, Érico, Valtinho, Zé Marques, Cacaio e Betinho, de pé. Martinica, Célio, Celsinho, Haroldo e Buque, agachados (década de 1960).

Ainda guri e cabeludo, Nando bem à direita, agachado (década de 1970).

Aqui mais uma foto do 2º quadro com futuros jogadores que iriam, depois, atuar por muito tempo no time principal do Tamoyo. Fernando Pegoraro, Bruno César, Barriga, Ronaldo Ribeiro, Dálcio Dorneles e Luisinho Queixada, em pé. Sepé, Pimentão, Bode, Haroldo Franco e Nando, agachados.

Ainda se vê nessa foto alguns jogadores mais velhos que deixaram de servir ao quadro principal e foram aproveitados no quadro suplente. No centro da fotografia, agachado, destaque para Bode, meio-campo que teve reconhecido brilho na equipe principal, atuando por muitas temporadas, figurando em várias seleções de todos os tempos organizadas por torcedores e ex-jogadores.

Antes do jogo (década de 1960), momento de descontração entre o grupo de amigos e atletas do Tamoyo.

Cau, Regis, Martinica e Polinho, em pé. João Pendão, Nei Maconha, Haroldo Franco, Celsinho Bueno e Airton, agachados. Formação do 2º quadro, anos 1960.

Bito, o primeiro, de pé, à esquerda (década de 1970).

Bito, Mário Reinaldo, Bira Mros, Bentevi, Felipe Menezes e Miguel Ângelo, em pé. Costinha, Haroldo Franco, Laerte, Ronaldo Ribeiro, Betinho Gibi e Luiz, agachados.

Houve fases na história do clube que jogadores em fim de carreira passavam a atuar no 2º quadro, como foi o caso de Bito, centroavante lendário do Tamoyo.

Em pé, Sabará, à esquerda, e João, à direita (década de 1970).

João Barbeiro e Sabará muitas vezes trabalharam juntos como uma dupla de técnicos, numa parceria inovadora e vencedora, sendo ambos moradores da região da Lomba da Tarumã. João, personagem conhecido e barbeiro de muitos cidadãos viamonenses. Sabará, figura folclórica e carismática, sempre atuando na política da cidade, dono do famoso lema de campanha: "Não vote em branco! Vote Sabará!".

Sabará (assistente técnico), Mário Reinaldo, Bentevi, Capelaro, Miguel Ângelo, João Luiz, Felipe Menezes, Mussum e João Barbeiro (técnico), em pé. Luiz, Laerte, Ronaldo Ribeiro, Guto, Costinha, Didi e Betinho Gibi, agachados.

João e Sabará sempre foram grandes amigos e resolveram dar sua colaboração ao Tamoyo na condução e garimpo de novos jogadores que pudessem abastecer a equipe principal do futuro. João, mais sisudo e exigente, Sabará, o conciliador, deram grande contribuição ao clube com sua dedicação e trabalho.

CAFURINGA E O TÉCNICO JOÃO BARBEIRO

Esta formação do 2º quadro passou o ano de 1975 invicta, perdendo só no ano seguinte para a Seleção do Banrisul, num jogo muito disputado, por 1 x 0.

O time do técnico João Barbeiro (o primeiro na foto, à esquerda, em pé) marcou época, formando nessa ocasião com Mário Reinaldo, Mussum, Pimentinha, Capelaro, Bira Mros, João Luiz, Miguel Ângelo e Sabará (auxiliar técnico), em pé. Dálcio Dorneles (massagista), Pimenta, Laerte Cafuringa, Costinha, Ronaldo Ribeiro e Guto, agachados.

A turma do complô às vezes inventava histórias, como, por exemplo, de que o nosso grande e habilidoso matador Laerte Cafuringa tinha sido vendido para a Catuense da Bahia nos anos 1980, onde fez dupla com o famoso jogador Beijoca. Essa era uma das brincadeiras do nosso querido amigo, que nunca vamos esquecer.

Laerte Cafu era um gozador nato, e são muitas as suas histórias na velha Baixada da Maria Lopes. Numa delas, o técnico João Barbeiro, irritado com a falta de uma habilidade mais apurada do nossa ponta-direita, o colocou na reserva, mas logo no início do jogo, Betinho Gibi, o ponta-esquerda, lesionou-se e só havia o Cafu de atacante no banco de reservas. O treinador pensou: "Ele só tem pé esquerdo para subir no bonde". Foi perguntar a ele: "Tem pé esquerdo, Cafu?". E este olhou para o pé e disse: "Acho que tenho". Gargalhada geral e o Cafu foi para o jogo mesmo com o treinador contrariado.

UMA GUINADA COM DONGA NA PRESIDÊNCIA

Ao fundo da foto, o edifício da sede do time, em estilo colonial.

Gildo era o treinador desta equipe que contava com alguns jogadores muito promissores do 2º quadro do Tamoyo, à época presidido pelo inesquecível Arnaldo Marçal (Donga), o primeiro jovem oriundo da equipe principal que veio a presidir o clube. Até então, antes do Donga, o presidente era, geralmente, um "senhor bem-sucedido" na sociedade local e que, sendo assim, bancava um pouco das despesas do futebol e com o patrimônio.

Com Donga (1988) houve uma guinada na administração, e ele, de forma competente, passou a administrar o clube com recursos do próprio clube, como o advindo do aluguel de campo, a exploração da copa, o que acabou por encorajar outros jovens a também candidatarem-se a dirigir o Tamoyo.

Na foto aparecem Gildo, César, Everton, Júnior Veríssimo, Donga, Cacaio, Edinho, Chinês, Ronaldo, Mauro Felipe, André Tavares e Dani, entre os que estão em pé. Cédio, Todinho, Gilberto Padre, Maninho, Cusco, Batista, Guinho, Joel e Vânio, agachados.

Garotada promissora do seu Nildo (final da década de 1970).

Breno, Mauro Terra, Júlio do Ipê, Beto Ribeiro, Barata, Carlinhos, Zé do Cantegril, Miro, seu Nildo, Marçal e o massagista Hélio, em pé. Nenê, Guinho, Ricardo Padilha, Alexandre, Cabeça, Lui, Fábio e Paulo Roberto, agachados.

Nesse grupo de jovens garimpados por seu Nildo surgiu mais um time de base com muitos garotos promissores, como Miro, Breno, Cabeça (Wilson Roberto) e seu irmão Paulo Roberto, profissional em várias equipes de ponta do futebol brasileiro. Ele aparece na foto muito jovem, bem à direita, agachado.

Dálcio (5º em pé da esquerda para a direita) era o capitão e parceiro (início da década de 1970).

Paulo Roberto (o 7º entre os agachados) jogava neste time doTamoyo.

Na foto ao lado, seu Nildo (técnico), Bentevi, Luisinho do Índio, Pimentão, Dálcio Dorneles, Buque Figueiredo, Marçal e Júlio Marafiga, em pé. Remião, Sérgio Vieira, Beto Vargas, Sepé, Queijo e Betinho Gibi, agachados.

Como dito anteriormente, seu Nildo era um grande garimpador de talentos e tinha em Dálcio Dorneles seu capitão, um grande parceiro na descoberta de jovens que pudessem servir ao clube depois da passagem no 2º quadro. Era também um sujeito brincalhão, e sempre que questionavam sua escalação ou resultado de algum jogo saía com essa: "Carro é Simca, mulher é Maria e treinador sou eu". Em tempo, ele tinha um Simca Chambord preto, quase sempre sem bateria, que os jogadores tinham que empurrar depois do jogo. Maria era sua esposa.

Esta foto acima é do período em que o presidente do clube era o tamoyense João Ferreira (1977). Dálcio Dorneles, Trancão, Mauro Oliveira, Paulinho Gambá, Rogério Barata, Breno, Valdomiro, Aurélio, Miro, Gilberto Tucano, Marçal (técnico) e Bito, em pé. Evandro, Cabeça, Jair, Falcão, Ricardo Malta, Alexandre, Paulo Roberto, Mauro Vieira e Nenê, agachados.

Nesse segundo quadro promissor, formado pelo seu Nildo, havia muitos garotos bons de bola, entre eles Miro, Wilson Roberto (Cabeça) e Paulo Roberto, que começa a fazer diferença no grupo, já como um futuro atleta profissional, indo mais tarde para o Grêmio Porto-Alegrense.

SUB-20 EM 2015

Presidente Eduardo Godoy, Moreno, Huan Guerra, Thomaz, Tiago Lopes, Lucas, Batata, Lucão, João Victor, Fabrício e Dida, em pé. Agachados, Vicente, um jogador que não identificamos, Iago Zílio, Edu Jaeger, Deguinho, Wesley Mendes e Vini Medina.

SUB-15 EM 2017

Gustavo Vieira, Arthur, Brayan, Garcia, Matheus Ladaia, Philipe, Bragança, Matheus Binn, Wesley, Eduardo Godoy e professor Jeferson Colares, em pé. Agachados, Alessandro Matta, Carlos Eduardo, Andrei, Lucas Rocha, Fernando Índio, Guerra, Denian, Aquiles e Jean.

SUB-17 EM 2016

Nesta fotografia podemos ver a equipe do sub-17 do Tamoyo Futebol Clube que disputou o Gauchão de 2016, perdendo a semifinal para o S. C. Internacional, ficando em terceiro lugar.

Na foto, o presidente Eduardo Godoy (Dudu), Pereira, Lucão, Jô, Léo Lemos, Carlos, Samuel, Igor Gaúcho, Igor, Estevão, o treinador Luciano Peixoto, Ial Júnior e o preparador Físico Felipe Marques, em pé. Agachados: Jonas, Léo Silva, Messa, Leandro Feijó, Dorneles, Lucas Bicudinho, Júnior, Lima, Kel e o preparador de goleiros Bolivar, agachados.

Alguns jogadores dessa equipe tiveram sucesso, tais como Léo Silva, lateral-direito que jogou no Pelotas e Juventude. O capitão era o zagueiro Jô, que jogou a Taça São Paulo pelo Sao José e foi campeão em 2022 da segunda divisão do Gauchão pelo Moonson (time novo que está situado no Lami, antigo estádio do Assis e Ronaldinho).

Equipe que ficou em terceiro no Gauchão sub-17.

Registro de uma das formações da grande equipe sub-17 de 2016, que só perdeu na semifinal para o Internacional. Em pé, treinador Luciano Peixoto, Victor, Carlos, Léo Lemos, João, Luiz Paulo, Léo Pereira, Jô, Lucão, Igor Almeida e Estevão. Agachados, Leonardo, João Lagni, Lucas Bicudinho, Júnior, Leandro Feijó, Léo Pirillo, Léo Lima e Messa.

O treinador Luciano Peixoto, Igor Almeida, Douglas, Jorge Luiz, Léo Silva, Jonas, Léo Lemos, Samuel Corrêa, Jô e Eduardo Godoy, presidente do clube, em pé. Agachados, Brendon, Léo Pereira, Everton Luiz, Lucas Bicudinho, Igor Soares, Leandro Feijó, L. Messa, Lucas Dornelles, João Rizzon e Carlos.

Equipe que em 2016 obteve a melhor campanha do Gauchão.

SUB-15 EM 2018

O tamoyense Geovany recebendo o troféu de melhor goleiro na Taça Champion sub-15 de 2018 das mãos do grande goleiro Mazzaropi, que foi campeão no Vasco da Gama, Coritiba, Náutico e várias vezes no Grêmio.

Taça Champion sub-15: o treinador Lucas Vaz e o preparador físico Jeferson Colares com a taça de vice-campeão de 2018.

SUB-17 EM 2020

O preparador físico Rodrigo Piano, Maurício Andrades, treinador Elton Machado, Gabriel, João Vitor, Arthur, Jean Santos, Afonso, Gregory, Índio, Igor, Eduardo Godoy, Raulen, Juliano Luiz, Eduardo e Japa, de pé. No chão, Ryan, Kevin, Edu Chitolina, Marcelino, André, Felipinho, P. Mann e Tucho, entre outros que não foi possível identificar.

SUB-23 EM 2023

Equipe sub-23 vice-campeã da Unity Cup.

Preparador físico Jeferson Colares, Igor Cadona, Yuri, Giovane, Luiz Araújo, Matheus Ribeiro, Rikelmy, Matheus Binn, Afonso, treinador Thiago Almeida e Lucca Vives, em pé. Agachados, Pedro Cruz, Vitor, João Nizz, Luiz Wolff, Sila, Rafinha, Pietro e Ilker Manaus.

Esta imagem é da decisão: Sindicato dos Atletas Profissionais do RS 1 x 0 Tamoyo Futebol Clube.

CAPÍTULO IV

As escolinhas do Tamoyo e as equipes do futebol feminino

"Valorizem as mulheres que colocam a chuteira no pé e buscam seu espaço no futebol!"

Marianna Moreno

MUITAS GERAÇÕES DE ESCOLINHAS

Nesta foto, outro dos diferentes fardamentos criados pelo presidente Messilva. O time de garotos formava com Marola, Remião, Berê, Canhoto, Maurivan, Calvo e Aristides (técnico), em pé. Nando, Dudu, Renatinho, Lei, Sérgio Vieira e Betinho Gibi, agachados.

O menino-atleta Renatinho que aparece na foto mais tarde tornou-se Renato Fraga e presidiu o Tamoyo.

Esse time era o infantil do Tamoyo, comandado pelo seu Aristides, e levava o apelido de "Cavalo de Índio". Vários desses jogadores destacaram-se mais tarde no quadro principal, como Nando (Raul), Marola, Lei, Maninho e Sérgio Vieira.

Messilva bem à esquerda e seu Aristides bem à direita (início da década de 1970).

DEVENDO NO PORTUGUÊS

Na foto ao lado, de 1970, Edgar Leitão Teixeira (patrono do Tamoyo), Mauro Terra, Chiquinho, Jorge Gravina, Beto Ribeiro, Barata, Tapir Júnior, Repena, Bento Poglia, João Barbeiro e Sabará, em pé. Juarez, Wilson Roberto (Cabeça), Jairo Terra, Jorge Alécio, Paulinho Gambá, Teco e Ricardo Malta, agachados.

Essa escolinha formou mais um dos bons times do 2º quadro, aí sob o comando do seu Nildo, que sofria com as travessuras do debochado Cabeça (Wilson Roberto), que até o caderninho de anotações do velho treinador roubou, de brincadeira. Daí descobriram que, no tal caderninho, seu Nildo escreveu "2º cuadro" e "Xiquinho" (com xis), entre outras. Seu Nildo era forte no futebol, mas ficava devendo no português.

O TIME INFANTIL

O infantil do Tamoyo com a madrinha Isabel Cristina, seguida dos jogadores Maurivan, Pimenta, Bentevi, Paulo José, Miguel Ângelo, Paulo e o técnico Aristides, que era funcionário do clube e criou essa categoria, contribuindo muito para formar um bom time de garotos. Agachados estão Luiz, Ciro, Betinho, Ted, Renatinho e Paulinho.

Imagem do final dos anos 1960.

PIAZADA DOS ANOS 2000

No início dos anos 2000, o Tamoyo mantinha uma gurizadinha na sua categoria de base. Identificamos alguns dos atletas em formação treinados pelo professor Marçal: Tanius (filho do lendário presidente Donga), Chiquinho (filho do Dico), Guilherme (filho do Victor Hugo da padaria), Léo Marques, Caquinho (neto do prefeito e presidente do clube Marcionilo Pacheco de Pacheco e filho do também ex-presidente Canelinha) e Helton (neto do grande zagueiro Carlos Fernando), entre outros meninos.

ESCOLINHA DO ROMER

A foto é da escolinha formada na gestão do presidente Romer (1992), que sempre apostou na esperança de formação de futuros atletas, incentivando a gurizada a criar vínculos com o clube.

FUTEBOL FEMININO

Time feminino nos anos 1990. Na foto, Bel está em pé, ao lado do presidente Ial Nunes (de branco).

Com o professor Mauro Rosa (Molinha) o clube investiu na criação do Departamento de Futebol Feminino, participando do Campeonato Gaúcho da categoria.

A gestão era do presidente dr. Ial Nei de Souza Nunes, que convidou os desportistas e professores Mauro Rosa e Luciano Peixoto para formar e treinar a equipe feminina.

O time das mulheres rubro-negras tinha como destaque a atacante Bel, do futebol feminino do Internacional, chegando, inclusive, à Seleção Brasileira.

PROTAGONISMO DAS MENINAS

A equipe do Tamoyo teve um bom desempenho no Campeonato Gaúcho de futebol no ano de 2005.

Garotas do Tamoyo sempre presentes no campo e com diversas formações. Sinais de uma nova época no futebol e na sociedade que já estavam presentes no clube há bastante tempo.

CAPÍTULO V

O futebol dos tamoyenses veteranos

"Eu me preocupo mais em ser uma pessoa boa que ser o melhor jogador de futebol do mundo."

Messi

Na foto acima, uma formação mais recente da equipe de veteranos, de 2019, com Daniel, Pedrinho, Dudu, Luciano, Alfaiate, Pardal, Chiquinho, Chico Camarão, Laerte Cafuringa, Fernando Prates, Bira e Mauricio, em pé. Ial, Bode, Téia, Manoel, Renatinho, Paloma, Joel, Nando e Bitinho, agachados.

Ial, Alfaiate, Valter, Zé Luís, Pedrinho, Breno, Luciano Peixoto, Roberto Rodrigues, Paulo Roberto e Bira Mros, em pé. Raul Fernando (Nando), Laerte Cafuringa, Clóvis, Bitinho, Chico Camarão, Bode, Joel, Fernando Prates, Erni Marola e Toquinho, agachados.

Essa formação do veterano, também de 2019, apresenta atletas que se destacaram no futebol profissional, como Pedrinho (ex-jogador de Pelotas, Grêmio e Internacional), Luciano Peixoto (Juventude) e Paulo Roberto (Grêmio).

NO TEMPO QUE SE SALGAVA CHURRASCO COM SALMOURA

Na fotografia do início dos anos 1960, podemos ver Dão Jacques (fundador do clube e quem marcou o primeiro gol do Tamoyo na história), Ivan Silva, Moacir Jacques (fundador do clube), Zenon Santos, Júlio Marafiga, João Ferreira e Guilherme Mros, em pé.

Valter Machado (que foi ativo na Força Expedicionária Brasileira – FEB), Antônio Foragi, Adair, Dida Jacques (outro fundador do clube) e Raul Ávila, agachados.

O Tamoyo Futebol Clube sempre privilegiou os veteranos da casa, marcando jogos e confraternizando geralmente com suculentos churrascos temperados na salmoura, como era o costume na época, sempre com muito chope gelado proveniente do depósito do seu João Tavares, proprietário da Distribuidora de Bebidas Tavares.

Os fundadores já jogavam nos veteranos nos anos 1960, entre estes os irmãos Dão, Dida e Moacir Jacques.

Outra foto de meados dos anos de 1960, onde podemos ver Ivan Silva, Adair, Carioca, Nilton Godoy, Zuzu (irmão do Alceu), Dida e João Ferreira, em pé.

Agachados, Canelinha, Abel (tio do João Luiz Medeiros), Abilinho, Jairo Veiga, Deco e Raul Menezes.

A imagem mostra vários veteranos do clube e alguns dos principais jogadores mais marcantes de todos os tempos, como Dida, Abel e Raul Menezes. Destaque para João Ferreira, muito jovem e já treinador, que se tornaria uma das mais destacadas figuras do Tamoyo.

Dida, Abel e Raul Menezes eram destaques neste time.

TAMOYO VERSUS TV PIRATINI

Time formado para o jogo realizado contra o escrete da TV Piratini, no campo do Tamoyo, em partida dos veteranos do clube, no dia 15 de março de 1964.

Na foto, Honório Barbosa (presidente do clube), Moacir Jacques, Mariana, César, Ivan Silva, Raul Menezes, Agenor Ferreira, Dida Jacques e João Ferreira, em pé.

Tiago, Antomar, Geraldo Freitas, Osi Guimarães, Antônio Foragi e Jairo Veiga, agachados.

Com seu Honório Barbosa na presidência.

TRADIÇÃO VETERANA

Bem à esquerda, o mais alto, Jorge Queijo (década de 1960).

Os veteranos do Tamoyo sempre foram muito presentes. O comportamento característico correspondia a uma tradição.

E todo jogador, tão logo parava de jogar no 1º quadro, já era convidado a ingressar nos veteranos. Formação que trazia também amigos e agregados da sociedade local e que participavam de alguma maneira da vida do clube.

Na foto ao lado, uma das formações veteranas, com Jorge Queijo, Moacir Jacques, Dida, Agenorzinho, Tiago e Antomar, em pé.

Amaro Curtis, Eduardo, Ivan Silva, Moacir Santos e Antônio Foragi, agachados.

DIA FESTIVO

A imagem (década de 1960) registra mais um jogo festivo dos veteranos do Tamoyo contra a equipe do Paladino de Gravataí.

Sempre que havia um jogo festivo, a presença feminina era marcante, como testemunha a foto.

Além da partida de futebol, promovia-se no clube uma recepcção na sede vizinha do Clube dos Casados, com delicioso churrasco regado a muito chope da Distribuidora de Bebidas Tavares.

Nesta imagem é possível identificar os seguintes jogadores do Tamoyo: Antônio Menezes, João Ferreira, Antônio Foragi, Tonico Freitas, Antomar, Mariana, Dida e Abilinho, em pé. Osi Guimarães, Deco, Ivan, Tiago e Raul Menezes, agachados.

Esta formação era difícil de ser batida na categoria veteranos, sem dúvida um dos melhores quadros de ex-atletas do clube. Na imagem, Aristeu, João Ferreira, Ivan Silva, Dida, Antomar, Tiago, Jairo Veiga, Osi, Eduardo, Geraldo Freitas e Antônio Foragi.

Bem à direita aparece Orígenes Abreu (Dutra, apelido que ganhou pela semelhança com o presidente da República da época).

Nesse time veterano figuram jogadores que foram destaque no quadro principal do Tamoyo, como Dida, Antomar, Eduardo e Geraldo Freitas. Vemos também uma das raras fotos com João Ferreira posando de jogador, pois parou cedo por, segundo ele, ter lesão nos dois tornozelos. Alguns maldosos diziam que a verdadeira razão era que a bola brigava com Ferrinho (apelido do João Ferreira), sendo a real causa da aposentadoria precoce como jogador.

Pose fotográfica com os jogadores em linha, antes da padronização atual (início dos anos 1960).

Formação dos veteranos em 1973 com Luís Cabrito, Furão, Luizinho Queixada, Wilson, João Barbeiro e Rubens Carruíra, em pé.

Agachados, Cado (filho do Rubens), Syro Reis, Trancão, Moacir Macaco, Eduardo, Haroldo Franco e Manduca, o outro filho do Rubens.

Os manos Cado e Manduca são os meninos da foto.

Nesta imagem, outra das formações do quadro de veteranos do Tamoyo, que jogava sempre nos domingos pela manhã, depois da missa.

Em pé, dr. Syro, Cabrita, Pedro Bolivar, Danilo, João Barbeiro, Neto, Eno e Manoel.

Camisetas e calções brancos (década de 1990).

Agachados, Carlinhos, Carruíra, Lauro, Trancão, Mário Luci, Eduardo e Dálcio Dorneles.

Ao fundo, o velho pavilhão.

Nesta formação vemos, ao lado esquerdo da imagem, Vanderlei (Lei), agachado, e, no outro extremo, em pé, Buque Figueiredo, que reforçavam a equipe de veteranos, nesta época (início dos anos 1970) já muito desfalcada de alguns de seus históricos jogadores, como Moacir Jacques, Dida e Geraldo Freitas. Apesar de não ser uma equipe de boa técnica, o reforço do atleta Lei normalmente desequilibrava a favor do Tamoyo.

Na foto, Moacir Santos, Rubens Carruíra, Bentevi, Fernando Távora, João Barbeiro, Emílio, Dálcio Dorneles e Buque Figueiredo, em pé. Lei, Lauro Japonês, Eduardo, Joel Foca, Luis Cabrita e Mário Luci, agachados.

No Olímpico, em Porto Alegre (em 1985), posando antes da partida contra ex-atletas do Grêmio, no campo suplementar, Moisés, Juca Sarrafo, Zé Fresta, Jorge Queijo, Neto, Danilo, Lauro Japonês, Paulo, Rubens Carruíra, Manoel Marques e Bentinho, em pé. Luís Cabrita, Carlinhos Rocha, Eduardo, Bito e Antomar, agachados.

No gol, o fotógrafo Ferraz (final dos anos 1980).

Na imagem, outro registro do time dos veteranos do Tamoyo, numa formação com Sérgio, Manoel Marques, Fernando Távora, Neto, Danilo Ferraz, fotógrafo, de goleiro, Paulinho Frankenstein e Marciano, em pé.

Agachados, Marola, Zeca, Nei, Felipe Menezes, Carlos, Bito e Juarez Banrisul.

CAMISAS LISTRADAS

O time veterano do Tamoyo numa tarde de festa no Estádio Edgar Leitão Teixeira, posando para a foto com camiseta de listras, em jogo contra o União de Veteranos.

Na equipe, Marçal, Ventana, Polinho, Roberto Rodrigues, Juarez e Luizinho Queixada, em pé. Jair, Alexandre, Ivanzinho, Donga, Bruno César e Lei, agachados.

Essa era considerada uma forte equipe do quadro veterano, com destaque para Donga, Lei, Ivanzinho, Juarez, Marçal e Luizinho, recém-saídos do quadro principal do clube.

Os irmãos Donga e Marçal no time (final dos anos 1980).

A imagem registra outra das formações do veterano do Tamoyo bem constante no final dos anos 1970. Aqui, aparecendo para a fotografia Moacir Santos (de traje social), Manoel Marques, Dálcio Dorneles, José Paulo, Eduardo, Zé Fresta, Buque Figueiredo e Rubens Carruíra, em pé.

Luiz Cabrita, Lauro Japonês, Mário Luci, Bito, Neto e João Barbeiro, agachados.

Destaque para a camisa tricolor, estilo São Paulo, usada por esse quadro de veteranos.

Zé Paulo Toffoli é o goleiro e Mário Luís o centroavante. O japa Lauro Kagami era o camiseta 10.

ENTROSAMENTO SOCIAL

Esta formação é de 2001, com os veteranos apresentando-se na foto com o então menino Luisinho Pimenta, Adair, Valter, Pimentinha, Juarez, Neto, Marciano, Donga, Betinho e Euclides, em pé. Manoel Marques, Preto, Marola, Renato Drumond, Alan, Pimenta, Ego e Telmo, agachados. Esse grupo marcou pela organização e união, tanto dentro quanto fora de campo, realizando trabalhos sociais e beneficentes na comunidade.

GRUPO DE HISTÓRIAS

Na foto, Manoel, Antomar, Sérgio, Claudinho, Luisinho, Eduardo, Juarez, Lídio, Valter, Marconi, Neto, Adair, Marciano e Arruda, em pé.

Paulinho Frankenstein, Marola, Donga, Renatinho, Betinho, Pimentinha e Pimenta, agachados (entre meninos que não foi possível identificar).

Meninada marcando presença na foto (início dos anos 2000).

Esse grupo caracterizou-se pelo grande número de jogadores à disposição do treinador em cada encontro.

Atletas de muitas histórias no Tamoyo, como Antomar Rocha, Donga, Erni, Adair, Marciano, Manoel Marques, lendas do clube, que em vários momentos ajudaram a glorificar a bela história do rubro-negro viamonense.

PRESENÇA DO PREFEITO TAPIR ROCHA

A foto histórica (anos 1980) registra a presença no campo do Tamoyo do ex-deputado, então prefeito Tapir Sica da Rocha, à esquerda, em pé, num jogo dos veteranos, aparecendo ao fundo já a sede nova que a prefeitura ajudou a financiar.

Os jogadores da imagem são os seguintes: Bito, Luiz Cabrita, Neto, Régis, Marciano, Sérgio e o então secretário Romer Guex.

Agachados, Nei, Betinho Gibi, Paulinho Frankenstein, Ademar, Fernando, João Barbeiro e Manuel Marques.

A prefeitura ajudava o clube com melhorias no Estádio Edgar Leitão Teixeira.

MOMENTOS DE DESCONTRAÇÃO

Tamoyo, lugar de encontros e amizades.

O campo do Tamoyo é um local sagrado onde atletas e ex-atletas do clube se encontram para um jogo descontraído, com muitos abraços, para um churrasco, uma cervejinha e para muita diversão.

Essa foto de 2018 revela o clima desses encontros, com Haroldo Franco, Lídio Fraga, Nando, Ivânio, Pedrinho, Clóvis, Paloma, Luciano, Dálcio Dorneles, Dudu, Chiquinho, Maurício, Marola, Téia, Clóvis Troupeiro, Mauro Felipe e Bode, entre outros.

UM DOS MAIS ANTIGOS GRENAIS

Grenal dos veteranos em 1968.

Anualmente, havia o Grenal de Veteranos do Tamoyo Futebol Clube, como este registrado na foto, ocorrido em 1968. Na imagem podemos observar os dois primeiros goleiros do clube: Zenon Santos e Geraldo Tavares. Também os irmãos fundadores do rubro-negro viamonense: Dão, Dida e Moacir Jacques.

Esse Grenal tinha como objetivo reunir ex-jogadores e torcedores do clube para confraternização de fim de ano, não importando muito o resultado do jogo, mas sim a reunião para o churrasco regado a cerveja.

A proposta era a de aproximar a sociedade viamonense do clube e angariar a simpatia do comércio em geral, de quem o Tamoyo muito dependia.

CAPÍTULO VI

Sábados de futebol no Edgar Leitão Teixeira

"Futebol se joga no estádio?
Futebol se joga na praia,
futebol se joga na rua,
futebol se joga na alma."

Carlos Drummond de Andrade

TIMES DE RUA COM CAMISAS DO TAMOYO

A gurizada de Viamão começou a se apresentar para suas peladas na rua com fardamento igual ao do Tamoyo porque já eram torcedores do time da cidade. Muitos desses garotos viriam a ser, futuramente, jogadores ou colaboradores do clube.

O nosso principiante de médico virou um cirurgião, o massagista da foto, dr. Edson Oliveira, que muito orgulho trouxe para a nossa cidade. E a madrinha do time, bem à direita na foto, Luci Cunha, que foi gerente geral da agência bancária mais antiga da cidade, o Unibanco.

Ivanzinho, Dálcio e especialmente Marola e Queijo abrilhantaram as equipes do Tamoyo.

Na foto: Edson, Varlei, Ivan, Dálcio, Jaime, Luís Paulo e Luci, em pé. Queijo, Bito Sandalha, Beto Jaeger, Canelinha, Marola, Paulinho Frankenstein e Odilon Fraga, agachados (início dos anos 1960).

Outros times de Viamão

Os jogos do Tamoyo, normalmente, sempre ocorreram aos domingos, sendo os sábados reservados às equipes e clubes parceiros ou coirmãos. A prática de ceder o campo é antiga, e remonta aos tempos de existência de clubes como o Ceará e o Cometa F. C.. Um dos mais conhecidos - que até os dias atuais joga no Estádio Edgar Leitão Teixeira - é o União, fundado em 1954, dez anos depois do Tamoyo.

O CEARÁ

O Ceará Futebol Clube, time do Gordo (irmão do Cícero), do centro da cidade, era formado por um grupo de amigos que jogavam no campo da ETA e também no Tamoyo. Em diversas ocasiões, o Ceará usava jogadores tamoyenses para reforçar a equipe, como podemos ver nesta imagem os atletas Antomar e Moacir Jacques.

A cartolagem bem becada para a apresentação do time (anos 1940).

Na fotografia, tirada pelo seu Aristides Vaz Ferreira (filho do coronel maragato Chico Marinho), podemos ver a elegância do Abilinho (Abilio Gomes), de terno de linho branco, ao lado de João Gilberto da Silva, o Gordo (presidente do clube, também de branco), e bem à direita o técnico Dutra.

No verso da foto, está registrada a escalação: Harley, Carioca, Juarez, Antônio, Moacir Jacques, Flávio, Honório, Antomar, Hélio, Dida e Zuzu. A posição correta de cada um na imagem não consta no registro.

O COMETA F. C.

Este é o Cometa F. C. – time da cidade que pertencia ao Cícero Vieira da Silva, que jogava nos campos do Tamoyo e da ETA, muitas vezes enfrentando a equipe do Ceará, de seu irmão Gordo (João Gilberto), ocasiões em que o jogo se transformava num clássico de família.

Reparem o símbolo do time na camisa do goleiro (anos 1940).

Era muito comum atletas do Tamoyo jogarem nesses dois clubes, em partidas que ocorriam geralmente aos sábados à tarde.

COMBINADO DE SÁBADO

Era comum algum jogador do Tamoyo organizar um jogo no sábado com um grupo de amigos ou de uma empresa dos municípios vizinhos de Viamão.

A foto registra um desses encontros, com grupo organizado pelo Moacir Jacques para a partida de sábado à tarde, nessa ocasião contra o Sindicato dos Ferroviários, no início dos anos 1960.

Bem ao centro, agachado, o centroavante Abilinho.

Na foto, Aristeu, Júlio Marafiga, Moacir Jacques, Dorval (Gigante), Ivan Silva, Cabo Marafiga e um cidadão não identificado, em pé. Agachados, Raul Ávila, Chico Pinto, Abilinho, Antomar e Décio Messina.

O time do União de 1954 com Mauro Santos, Silvio Boca, Toninho, Ribeirão, Jorge Queijo e Regis Santos, em pé. Parobé, Adão, Amaro, Marquinho Bueno e Agenorzinho, agachados.

Durante esses anos, muitos times formam formados na cidade, usando o campo do Tamoyo para seus jogos. Um desses clubes futebolísticos, que muito marcou, foi o Clube Atlético União.

Sob a sombra da Borracheira, famosa e centenária árvore da Praça Central de Viamão, reuniram-se Amaro, Toninho Galo Preto e Adão Moraes, que fundaram, no dia 31 de janeiro de 1954, o referido União. O clube teve escolhidas as cores preto e branco (alvinegro) e fardamento parecido com o do Vasco da Gama para o primeiro quadro e do Botafogo para o segundo quadro.

Com a equipe formada em sua maioria pela gurizada que jogava na Praça da Igreja, o União pisou pela primeira vez o gramado do Tamoyo para vencer por 2 x 1 o Roque – equipe vizinha de Porto Alegre –, logo após a sua fundação. Participaram desse jogo inaugural os atletas Mauro, Régis, Toninho, Silvio Boca, Gordo, Ribeirão, Jorge Queijo, Amaro, Adão Morais, Marquinho Bueno, Parobé e Agenorzinho. Em seguida juntaram-se ao grupo Rogério Mendelski, Haroldo Franco, Paíca, Bebeto, Zeca Kraemer, Polinho e muitos outros daquela "panela" dos jogos da praça.

O grupo foi crescendo e os jogos estenderam-se até meados de 1964, quando, inexplicável e infelizmente, o União parou suas atividades. Entretanto, estava escrito já que essa belíssima história não finalizaria assim.

Dez anos depois, em maio de 1974, alguns daqueles antigos atletas, já senhores de meia-idade, decidiram refundar ou fundar, propriamente dito, o União de Veteranos. Para completar o grupo, foram convidados novos amigos, formando-se então uma nova "panela".

Na tarde do sábado do dia 26 de maio de 1974, o União retornava ao gramado do Tamoyo para novamente vencer em uma estreia, dessa vez ao veterano do Clube Juvenil, pelo escore de 3 x 1. Naquela oportunidade, a equipe foi formada por Amaro, Antoninho, Celso, Clóvis, Gordo, Macau, Meli, Passarinho, Polinho, Ribeirão, Roberto Rodrigues, Sérgio, Silvio Boca, Tadeu, Toninho e Kraemer.

1500 JOGOS NO HISTÓRICO DO ALVINEGRO

Dida (fundador do Tamoyo), Carruira, Agenor Ferreira, Sérgio Preto, Rogério Mendelski, Zeca Kraemer, Haroldo Franco e Geraldo Freitas (atleta do Tamoyo), em pé. Flávio Suvaco, Parobé, Zezinho Oliveira, Macau e Vilson Costa, agachados (1974).

O União de Veteranos contabiliza nada menos do que aproximadamente 1500 jogos, todos em livro devidamente registrados. Nessa caminhada, são lembradas partidas inesquecíveis em Viamão e em vários outros rincões de nosso Estado, Santa Catarina, Rio de Janeiro e até Montevidéu, ocasião em que, disputando o Troféu Mercosul, venceu seu adversário uruguaio por 4 x 0.

Jogos internacionais não pararam por aí, pois em Viamão o União recebeu equipes do Uruguai, Paraguai e até do Chile. Como curiosidade, há também o fato de vários atletas profissionais já terem integrado suas fileiras, mesmo que em algumas ocasiões somente como convidado para uma partida, como foi o caso de Ronaldinho Gaúcho, que um pouco mais tarde viria a ser por duas vezes consecutivas proclamado o melhor jogador de futebol do mundo.

O Clube União tem muitas histórias a serem contadas e tem levado o nome de Viamão por várias cidades, deixando marcante impressão de alegria e descontração. Ao longo de todo esse tempo, o União caracterizou-se como uma gratificante máquina de fazer amigos.

Gozação, brincadeira e complô são marcas da convivência entre os integrantes do time.

O Tamoyo criou-se nas peladas em frente à Igreja Matriz, até então uma espécie de campo oficial da cidade, e muitos dos que vieram a integrá-lo saíram dos "clássicos" na praça de cima (Cel. Júlio de Castilhos) contra praça de baixo (Praça da Igreja). Em cima disso, a gurizada da época, de meados de 1950, descontente com a importação de atletas de fora da cidade, acabou fundando o C. A. União,em 1954.

Time do União de 1964 – Antoninho Marques, Tadeu, Zeca Kraemer, Parobé, Eduardo Gordo, Rogério Mendelski e Mario Louco, em pé. Marcos Prates, Polinho Mennet, Bebeto, Haroldo Franco e Celso Bueno, agachados.

GRENAL DO UNIÃO EM 2000

Na virada do século, o União formava com Tinho, Nilton, Roberto, Breno, Paulo Roberto, Marcelo, Ronaldo, Mauro, André, Dálcio e Téia, em pé. Bira, Bode, Gigio, Cabeça, Paloma, Guilherme, Nando e Dudu, agachados.

Anualmente se repete a festa de confraternização de final de ano do União com um Grenal entre os seus jogadores.

O TIME DA EMPRESA

Esta plêiade de jovens atletas da Empresa de Ônibus de Viamão, então propriedade do seu Hormindo Jaeger, no ano de 1961, enfrentou um combinado de amigos no dia 1º de abril, no campo do Tamoyo.

Em pé, Armando Cachorrinho, Odete Guimarães, Rubens Carruira, Saul (pai do Gigio), Aristeu, Barbosa, Mariana (lendário lateral do Tamoyo, único que passou do segundo quadro direto para o veterano do rubro-negro) e Maurilio.

Agachados, Beto Jaeger (filho do Hormindo), Negão Ciro, um atleta que não identificamos, Trancão, Jair Borba, Dorival e Luís Cabrito.

Beto do Hormindo, agachado bem à esquerda, era o organizador do time.

O CLUBE DOS CASADOS

A foto registra mais um dos dias festivos de jogos no Tamoyo. Dessa vez comemorava-se a posse da nova diretoria do Clube dos Casados (Clube Juvenil).

De pé, Júlio Bianchi, Chicão (massagista do Tamoyo), Wilson, Carlinhos, Milton, Raul, Romildo, Mauro, João Ferreira, Tabajara, Raul Menezes, Sérgio Franco, tenente Pacífico e Idalino da Petisqueira.

Agachados, Júlio Marafiga, Aurora, Onivaldo, Ial Nei, Osi, Jorge Queijo, Eno, Moacir Jacques, Antoninho Foragi, Agenor e Dida Jacques.

Nas extremidades da foto, de pé, as figuras do seu Bianchi e Idalino da Petisqueira (anos 1970).

PROFISSIONAIS AMIGOS DO TAMOYO

No dia 14 de setembro de 2001, aniversário de Viamão, a partida festiva foi entre o combinado de jogadores da dupla Grenal e o time principal do Tamoyo Futebol Clube, evento promovido pela gestão do presidente Donga. Entre os jogadores presentes estavam Cláudio Duarte (morador de Viamão), Renato Portaluppi, Paulo Roberto, Paulo César Magalhães, Pedro Verdun e o goleiro Remi, entre outros.

Na foto, Cláudio Duarte, ex-técnico de Grêmio e Inter e morador de Viamão.

AMIGOS DO PAULO ROBERTO

Mais um jogo festivo, na mesma época, no campo do Tamoyo, entre seus veteranos e um combinado de ex-atletas do futebol brasileiro, tais como Batista, Tarciso, Pedro Verdun, Paulo Roberto, Figueroa, Taffarel, Paulo Brito (repórter), China, Ciro Quadros, Cabeça e a participação dos atletas viamonenses Téia e Breno Willian Brito.

Na foto, bem à direita, de pé, Cláudio Taffarel.

JOGO FESTIVO COM ESTÁDIO LOTADO

No dia 7 de setembro de 2009, como era comum nos feriados da Semana da Pátria, o jogo festivo da Baixada da Maria Lopes foi de um combinado de jogadores, ex-atletas profissionais, contra o Tamoyo. Deram brilho ao espetáculo os ex-atletas da dupla Grenal Batista, Mauro Galvão, Tarciso, Paulo Roberto e China, entre outros.

O segundo da foto da esquerda para a direita, em pé, é o jogador Batista, ao lado do professor Marçal.

Chico Bozó, com a bola, nos tempos de futebol (anos 1980).

Sábados de futebol sempre eram motivo de encontros de amigos no campo e na copa do clube.

Na imagem acima, Dálcio Dorneles, Zé Paulo Tófolli (Pombo), Adair Alves, Breno Brito, Zé Marques e Moacir Jacques (um dos fundadores do clube), em pé.

Sérgio Bueno (Caçapa), Nando (Porquinho), Chico Dias (Bozó), Sérgio Tadeu (Queijo), Haroldo Franco e José Cláudio Thomáz da Silva (Bito), agachados.

O time do Roma, bloco do Carnaval viamonense.

No campo do Tamoyo, na década de 1970, era comum, na véspera do Carnaval, os torneios entre blocos carnavalescos.

Bloco do Roma: Renatinho, Burro Branco, Capelaro, João Luís, Miguelito, Banha e Paulo Tuberculoso, em pé.

Chico do França, Didi, Caçapa, Guto, Costinha e Bento, agachados.

Bloco carnavalesco Mokotó (MKT): Bode, Miguel, Vitor Hugo, Jorge Ivo (Toco), Bira, Aurélio e Mário Reinaldo, em pé. Adão Clóvis, Chico, Narinho, Nenê do Barreto, Fábio, Catito e Gilberto Cardoso (Tucano), agachados (década de 1970).

Mais um sábado de futebol, em 1991, no Estádio Edgar Leitão Teixeira, onde a alegria da turma do futebol do União de Veteranos contagiava os torcedores que frequentavam a Baixada. Na ocasião registrada na imagem acima, o time contou com o reforço do goleiro Emerson, que nessa época jogava pelo Grêmio. Posteriormente, foi para o Bahia, onde hoje é o presidente do clube soteropolitano.

De pé, Gilcyr Ferreti, Dálcio Dorneles, Nilton Magalhães, Emerson Ferreti, Danilo Malta, Vilson Arruda, Roberto Rodrigues, Jorge Tadeu dos Santos (Queijo) e Airton Pires de Souza (Cocota).

Agachados, o menino Márcio Tóffoli, José Paulo Tóffoli, José Fresta, Haroldo Franco, Raul Ávila e Mauro Oliveira.

No gol, Emerson, que na época da foto era goleiro do Grêmio.

NOS TEMPOS DO PROFESSOR CAETANO

O Tamoyo tem e sempre teve uma relação muito estreita com sua cidade. Nesta fotografia da Escola Municipal Castelo Branco estão alguns dos garotos que viriam a ser destaques do time do Tamoyo, como os irmãos Donga e Marçal. Salienta-se o professor Modesto Caetano, uma lenda da Educação Física, incansável no incentivo dos jovens à vida esportiva.

Caetano foi o criador dos Jogos Abertos de Viamão, que muito movimentaram a cidade, especialmente nos anos 1970 e 1980.

Na imagem, em pé, Helena, professor Caetano, Nico, Cláudio, Deco, Paulo Eroni, Jorge Bueno, Laerte, Marçal e Bolachão. Pimenta, Jorge Vieira, Donga, Paulinho Merico, Bode e Daniel, agachados (início dos anos 1970).

COMPETIÇÕES ENTRE ESCOLAS DE VIAMÃO

Equipes organizadas pelo professor Modesto Caetano disputavam as competições estudantis no campo do Tamoyo, e por esses laços vinham a abastecer as equipes iniciais do clube.

Em pé, na foto, Paulinho Sapiranga, Ivo, Canela, Téti, Ronaldo e Nico. Costinha, Laerte, o menino engraxate conhecido pelo apelido de Cem Pila, Bode, Marçal e Daniel, agachados.

Muitos atletas do Tamoyo vieram das formações de estudantes (início dos anos 1970).

HOMENAGEM AOS EXPEDICIONÁRIOS COM O TIME DO ESTRELA DO SUL

Carlos Alberto Barbosa, Ronildo, Sérgio Santos, Adão Fontanelle, Marquinhos, Silmar Guimarães, Valter Machado e a madrinha Vera Santos. Agachados, Juares (Miquica), Hugo (Bagana), Ubiratan Mros, Beto Jaeger, Baiar Machado e Celso Getúlio (final dos anos 1950).

O Estrela do Sul foi criado pelo senhor Valter Machado (expedicionário* viamonense) com o objetivo de incentivar a gurizada para o esporte e estimular novos torcedores do Tamoyo, já que muitas vezes faziam a preliminar dos jogos do clube.

Uma das marcas do time era a estrela na camiseta do goleiro e a bandeira, que era carregada orgulhosamente pelo seu Valter.

* Expedicionários: soldados da Força Expedicionária Brasileira (FEB) que integraram a força terrestre que, durante a Segunda Guerra Mundial, foi responsável pela participação do Brasil ao lado dos Aliados da Campanha da Itália.

CAPÍTULO VII

Futebol em movimento

"Olha que a cidade
Toda ficou vazia
Nessa tarde de domingo
Só para lhe ver jogar...
Ponta de lança africano, que vê
quero vê a rede balançar
A galera quer sorrir, a galera quer cantar
A galera tá feliz, ela quer comemorar...
Umbabarauma quero vê você jogá..."

Umbabarauma – homem-gol
Jorge Ben Jor

JOGO NO PASSO DA FIGUEIRA

A foto registra o jogo de inauguração do fardamento do Brasil F. C., em 1970, no Passo da Figueira, onde havia um dos campos de várzea de Viamão. O convidado para a estreia das novas camisetas do time varzeano foi o Tamoyo, que levou para a ocasião o seu grupo de veteranos, contando com a presença de importantes atletas da história do time:

Antomar, Dida e Moacir Jacques, Eduardo e Jorge Queijo.

Todos acompanhados pelo então presidente Messilva, que havia combinado o jogo com a diretoria do Brasil. Apesar da derrota por 1 x 0, o domingo de sol com churrasco compensou o resultado negativo.

Mais uma tarde de jogos no campo do Tamoyo. Podemos ver a cerca de tábuas pintadas de branco e o parapeito de eucalipto que fazia a volta no gramado. Ao fundo, na cena, a Casa Curtis (anos 1970).

Foto dos anos 1950 com defesaça de Mauro Santos.

No tempo das envergadas traves de madeira.

Nesta foto histórica (anos 1970) do segundo quadro do Tamoyo, podemos ver a marcação forte do lateral Dálcio Dorneles sobre o atacante adversário, sendo observado pelo olhar do meia Sérgio Vieira.

Jogo comemorativo do Jubileu de Prata, em 28 de dezembro de 1969, contra o Lomba do Sabão, de Viamão.

Foram muitas as ocasiões em que os enfrentamentos entre Tamoyo e Lomba do Sabão acabaram em confusão devido à rivalidade histórica.

Na imagem ao lado, um lance do jogo do dia 15 de maio de 1987 entre Tamoyo e União de São Leopoldo (3 x 1 para o rubro-negro). As lentes do grande fotógrafo da cidade Mauro Vieira registraram o momento exato em que o centroavante Paulo Mandioca, do time viamonense, encobre o goleiro, num dos gols da partida.

A imagem registrando grande movimentação na pequena área em partida do Tamoyo na Copa Quarta-Feira é outro registro do fotógrafo Mauro Vieira, que tornou-se um dos mais importantes e conhecidos profissionais do fotojornalismo gaúcho.

Um pênalti bem batido é goleiro para um lado e a bola para o outro. Este foi registrado no jogo contra o Lombagrandense, de Novo Hamburgo, na vitória do Tamoyo por 3 x 1 pelo Campeonato Amador do RS. Bode foi o cobrador (início dos anos 1990).

Tamoyo e o juvenil do Grêmio no Estádio Olímpico, em 1988, com uma bela atuação do atleta tamoyense Breno Willian Brito, que preside o clube na atualidade.

Tamoyo jogando de verde na semifinal do Estadual de Amadores contra o São Domingos, dc Casca, em 1985, no estádio do Serrano, em Carlos Barbosa.

Mais um domingo de sol e futebol na Várzea da Maria Lopes. Jogo em março de 1973, onde podemos ver Haroldo com a 14, Furão com a 4 e o centroavante Trancão com a camisa 9.

No intervalo de um jogo difícil, o técnico Antomar passa as instruções para Bode e João Luis, enquanto a bola voa na sua direção (anos 1980).

Nesses tempos do estádio, a torcida acompanhava os momentos quentes da partida bem juntinho das goleiras.

IMAGEM HISTÓRICA

Na partida que se deu entre o Tamoyo e o Rionges (time formado por um grupo da URSS de um navio aportado no cais, em Porto Alegre), em 1962, o centromédio Paíca disputa a bola com o goleiro russo Mironov.

A imagem foi publicada no *Jornal do Dia*, diário porto-alegrense que enviou um repórter a Viamão para registrar o encontro.

CAPÍTULO VIII

Atletas que marcaram época no Tamoyo

"Misturo poesia com cachaça e acabo discutindo futebol..."

Vinicius de Moraes

Os Grenais entre os jogadores de Viamão, no campo do Tamoyo, já eram uma tradição na década de 1960. Nesta fotografia, possivelmente no aniversário da cidade, em 1967, podemos ver os irmãos Jacques em times diferentes: Dida com a camisa do Grêmio, acompanhado de Antônio Menezes e Geraldo Freitas, também com a veste tricolor, contra seus irmãos Moacir e Dão, acompanhados do atleta Hélio, com as vestes coloradas. Agachado, o goleiro Geraldo Tavares.

Final dos anos 1940: Júlio Coco, Itamar Carvalho, Hélio Menezes, Antônio Menezes e Genito estão entre os que conseguimos identificar dos sete da foto.

Ao fundo, o Colégio Stela Maris e a Estrada Acrísio Prates, ligação Viamão Itapoã. O campo ainda modesto no 3ª ano de fundação, não era cercado. Dida e Nelsinho, fundadores do clube, e Geraldo Tavares, goleiro, eram atrações no domingo à tarde no quadro principal do rubro-negro viamonense.

Nos anos 1960, os atletas
Eduardo e Queijo.

Em 1947, os atletas
Adão e Paulinho.

Lendários do Tamoyo com um dos mais tradicionais fardamentos, onde destacava-se o distintivo no vermelho e preto da camiseta. Na imagem, atleta não identificado, Geraldo Freitas e Antomar Carvalho, em 1947.

Eduardo, Antomar e Geraldo Freitas, atletas do rubro-negro viamonense.

Atletas do Tamoyo em Belém Novo antes de uma partida no dia 9 de março de 1947. Posando para a imagem Renato Silva, um jogador não identificado, Antônio Menezes, Geraldo Freitas e outro que não conseguimos identificar. Ao fundo, no centro da foto, Itamar Carvalho.

Costinha, Miguel Ângelo e Ronaldo Ribeiro formavam um meio de campo na categoria de base do Tamoyo nos anos 1970.

Dida é considerado um dos melhores entre os quarto-zagueiros da história do clube, tendo formado a 1ª zaga do Tamoyo com seu irmão Dão e, à frente dele, um dos maiores meio-campistas, outro da família, o terceiro irmão, Moacir Jacques (1947).

O atleta Geraldo Freitas orientando o companheiro Antônio Menezes no intervalo do jogo Tamoyo 1 x 1 Belém, no dia 9 de julho de 1947. O terceiro jogador, à esquerda, não foi possível identificar.

ERNI MAROLA E SÉRGIO QUEIJO

Marola e Sérgio Tadeu (Queijo), dois jovens promissores que figuraram entre os grandes nomes do Tamoyo nos anos 1970-1980.

Queijo foi um dos melhores da história do clube, tendo começado jogando como centromédio, apresentando muita técnica e elegância, chamando a atenção de todos. Posteriormente, foi jogar na ponta direita devido a um arranjo do técnico Moacir Jacques, tendo ali também se destacado, marcando muitos gols pelo índio rubro-negro.

Erni Marola, por sua vez, foi sem dúvida um dos principais atacantes do clube em sua história. Rápido e driblador, infernizava as defesas adversárias, goleador nato, dificilmente passava um jogo com placar em branco. Um locutor da rádio de Santo Antônio da Patrulha, em certa ocasião, denominou-o de "Pé de Vento", devido a sua grande velocidade, que incomodou a defesa do Jaú, time local, nos prélios entre os dois.

SEPÉ E DÁLCIO DORNELES

Dálcio Dorneles foi um dos maiores colaboradores do clube. Dedicado, batalhador, não media esforços para ajudar o índio viamonense, embora tivesse limitações técnicas como jogador, compensava com muita luta e dedicação na defesa da lateral direita.

Sepé, em contraponto, era um centroavante de muita técnica em que a torcida e a diretoria depositavam toda a confiança, especialmente nos momentos em que era necessário substituir o centroavante Bito, quando este já estava prestes a se aposentar do quadro principal. A imagem acima também é dos anos 1970.

BUQUE FIGUEIREDO E DÁLCIO DORNELES

Buque foi lateral-esquerdo do 2ª quadro, promovido ao time principal por ser um jogador de muita qualidade técnica. Dálcio aparece novamente, demonstrando sua presença constante no campo do Estádio Edgar Leitão Teixeira. Nesse dia desta foto da década de 1970, como se pode ver, com as arquibancadas repletas de torcedores.

MAROLA E TÉIA

Marola, como já citado, até hoje é muito presente no Tamoyo e foi realmente um dos grandes atacantes do clube. Téia, centromédio de um dos melhores times que o clube já teve, sempre foi um jogador muito técnico e combativo. Tinham um bom entrosamento, ainda mais quando acompanhados dos atletas Bode e Chiquinho. A foto é de um momento do time campeão regional em 1979 – Chave Serra-Litoral – em jogo memorável contra o Cerâmica, de Gravataí. Os dois clubes chegaram ao final empatados em pontos e critérios, sendo necessário um jogo extra em local neutro. Essa partida decisiva foi no campo do Jaú, em Santo Antônio da Patrulha. O Tamoyo saiu ganhando com gol de Chiquinho ao final de primeiro tempo, tendo o Cerâmica empatado com gol de pênalti aos 45 minutos do segundo tempo. Nos acréscimos, Marola ganhou da defesa em velocidade e cruzou para Nenê Barreto, que, com muita tranquilidade, matou a bola no peito e mandou para o fundo das redes, garantindo a vitória de 2 x 1 para o rubro-negro viamonense.

ELMO FRAGA E DELMO MATOS

Atacantes velozes da equipe rubro-negra do final dos anos 1960, provindos das tradicionais famílias viamonenses da zona rural.

TAMOYO EM FOTO-LEGENDA

Sidnei, Antomar, Osi, Moacir Santos e Raul Menezes. Grupo de 1959 que formou um dos mais eficientes ataques da história do Tamoyo.

Na foto dos anos 1960, Mariana, que era pintor de carros, e dois futuros jornalistas: Milton Santos, diretor do jornal *Correio Rural*, e Rogério Mendelski, até os dias atuais em atuação na imprensa porto-alegrense.

Formação dos tamoyenses Manoel, Pedrinho Trevisan, Ganso e Clóvis, de pé. Caçapa, Bode e Marola, agachados (final dos anos 1970).

A madrinha do Tamoyo Maria Teresa Pacheco e o grande centromédio do rubro-negro Cacau. Imagem de 28 de dezembro de 1970.

JOÃO LUÍS, BODE E TÉIA

Numa dupla comemoração - o aniversário de Viamão e o do clube –, em 1986, o Tamoyo enfrentou os juniores do Grêmio, em partida que terminou empatada (1 x 1), gol do ponta-direita Queijo.

João Luís (à esquerda na foto abaixo), grande lateral, tinha muita qualidade no apoio e cabeceio, mas nessa época já havia optado pela zaga, onde também se destacou envergando a braçadeira de capitão.

Bode, meio de campo clássico, e Téia, jogador técnico, oriundo da Lisboa, marcador que sempre se destacou pela sua liderança em campo.

Moacir Jacques, um dos fundadores, além de jogador, foi também treinador do clube na década de 1970, quando levou o Tamoyo à incrível marca de 41 jogos sem derrota.

Não gostava de perna de pau. Jogador tinha que se dar bem com a bola, senão, não jogava. Quando apresentavam algum jogador meia-boca para ele, lá vinha a sua máxima: "Até o meu ganso joga mais que esse cara".

Antomar, Moacir Jacques e Paulo Maia (anos 1960).

Antomar, João Ferreira, Tonico, Geraldo, Dida e Mariana. Uma foto diferente, antes de uma partida na década de 1960. Leve-se em conta que posar para a fotografia, na época, ainda era um evento. Dependia inclusive das possibilidades do fotógrafo se deslocar até o estádio do Tamoyo e de haver quem pudesse pagar a despesa.

CAPÍTULO IX

Da Várzea da Maria Lopes para os campos do mundo

"Não existe mais espaço para se jogar futebol nas grandes cidades. Os jovens negros são as primeiras vítimas desse fenômeno."

Pelé

OS CRAQUES QUE ORGULHAM O TAMOYO

Paíca (Paulo Fernando da Silva Bueno) em entrevista para uma rádio da capital, nos anos 1960.

Desde seus primórdios, o Tamoyo sempre abasteceu o futebol profissional com bons jogadores. Atletas como Paulo Maia foram para a Portuguesa de Desportos, em São Paulo, onde atuou também Paulo Bortoli, este tendo jogado ainda pelo Força e Luz. Moacir Santos esteve na base do Corinthians (SP), Renato e Moacir Jacques, nos aspirantes do Internacional, e, nos anos 1990 e 2000, o goleiro Fernando Prass, que era da base do Grêmio e se tornou um dos mais conhecidos guarda-metas do país, tendo jogado no Vasco e no Palmeiras.

O Tamoyo se orgulha também de atletas como Luciano Peixoto, estrela na base gremista e profissional do Juventude. De Clóvis Tropeiro, Henrique e Rosa Franco, no Caxias. Vilson Roberto, no Zequinha. Dudu na base do Grêmio e do São Caetano, além de um período de testes no Juventus da Itália, e Renato Júnior, na base do Fluminense. Com certeza outros com passagem curta pelo clube também abasteceram o futebol profissional, visto que a cidade possui muitos outros campos de várzea e às vezes, de forma meteórica, algum atleta passava pelo Tamoyo.

Entre os grandes destaques inscrevem-se Paulo Roberto, campeão mundial; Paíca, tricampeão gaúcho; e Ivo, como goleiro do Grêmio.

O tamoyense Paíca, quando defendeu o Grêmio Porto-Alegrense, teve oportunidade de duelar com grandes jogadores da história do futebol brasileiro e mundial, como vemos na foto, neste registro de um jogo contra o Santos, disputando uma bola com Pelé.

PAÍCA

Paíca, formado na Várzea da Maria Lopes, onde defendeu o Tamoyo entre o final dos anos 1950 e início da década de 1960, para muitos, é o principal jogador da história do clube, e pelo qual manteve a paixão, tanto que sempre que tinha uma folga aparecia na Baixada para rever os amigos e torcer pelo time. Saiu da Várzea da Maria Lopes para os juvenis do Grêmio Porto-Alegrense, tendo composto um dos melhores times da base gremista. Em seguida, subiu para os profissionais, onde sagrou-se campeão gaúcho de futebol em 1966, repetindo o feito em 1967 e 1968. Sua carreira foi interrompida por uma cirurgia malsucedida de joelho, tendo ido jogar no CEUB, transferindo-se para Brasília, onde reside na atualidade.

O GOLEIRO IVO

Jorge Ivo Amaral (Toco), formado no gramado do Tamoyo, foi também atleta do Grêmio Porto-Alegrense.

Despertou a atenção dos dirigentes do Tamoyo ao defender a seleção de sua escola nos jogos escolares da cidade, nos anos 1970, tendo sido, então, convidado a integrar o plantel dos jovens que formavam o 2º quadro, e logo guindado ao 1º quadro.

Ivo – filho do barbeiro tio Ivo – também chamou a atenção do Departamento de Futebol do Grêmio ao se destacar na base, sendo chamado ao grupo principal no ano de 1978.

Mais tarde, foi cedido ao Desportivo Itália da Venezuela, tendo jogado também no Nacional de Manaus, no Inter de Santa Maria, no São José de Porto Alegre, entre outros clubes.

Luís Ávila

Mário Sérgio, Paulo Roberto e Hugo De León na decisão do Mundial de Clubes, no Japão, em 1983.

O CAMPEÃO DO MUNDO PAULO ROBERTO

Paulo Roberto Curtis Costa, atleta de formação nos campos do Tamoyo que mais tarde foi fazer sucesso no Grêmio, despertava a atenção já muito jovem, ainda no 2º quadro, de onde foi levado pelo ex-técnico Antomar Rocha para a base do Grêmio Porto-Alegrense, onde se destacou. Na decisão do Campeonato Brasileiro de 1981 foi chamado por Ênio Andrade para marcar o ponta-esquerda Zé Sérgio, então o melhor atacante brasileiro, anulando-o completamente nos dois jogos das finais, ajudando o Grêmio a conquistar seu primeiro título nacional. Depois desse feito, foi campeão da Libertadores e do Mundial de Clubes, na partida histórica no Japão. Na sua extensa carreira, jogou em diversos clubes importantes do futebol brasileiro, entre eles, São Paulo, Fluminense, Santos, Botafogo, Vasco, Atlético Mineiro e Cruzeiro.

PEDRINHO

Pedrinho Vidal foi mais um guri criado no campo do Tamoyo que teve uma trajetória para além da várzea em Viamão.

Jogou na base do Internacional até 1999 e depois no Santo Ângelo (2000), no Pelotas (2001), época em que foi escolhido para seleção do Campeonato Gaúcho como o melhor lateral-direito do ano, fato que o projetou, atraindo o interesse do técnico Tite, que o levou para o Grêmio Porto-Alegrense, em 2002.

Em 2003 foi jogar no S. C. Internacional, dirigido pelo grande técnico Muricy Ramalho, e, em 2004, voltando para o Sul do Estado, foi atuar novamente no Pelotas. Sua carreira foi prematuramente interrompida por uma grave lesão de joelho.

GILBERTO CARDOSO

Antes de se destacar na elite da arbitragem da FGF, o professor Gilberto Cardoso figurou como técnico de futebol da equipe principal do Tamoyo F. C. – quando ficou a temporada inteira sem perder um jogo sequer. Foi do professor Gilberto, juntamente com Dálcio Dorneles e Juarez Godoy (Bode), a iniciativa de colocar alambrado, cerca de tela, em volta do gramado, para possibilitar ao clube disputar o Estadual de Amadores novamente, na gestão de Adair Alves como presidente do Tamoyo, em 1979.

Gilberto Cardoso foi árbitro do quadro principal da FGF por 25 anos e foi um dos criadores do curso de arbitragem, que passou a ser exigido aos postulantes ao quadro da Federação Gaúcha, presidindo também o Sindicato dos Árbitros do Estado.

TAMOYENSES NA S. E. R. CAXIAS

Marcelo, Henrique, Batista (Rosa Franco) e Clóvis (anos 1980).

Na foto, da esquerda para a direita, está o jogador Marcelo com três viamonenses: Henrique, Batista (Rosa Franco) e Clóvis Tropeiro, nesta ordem. Todos os três tamoyenses foram defender as cores do Caxias. O trio marcou época com as cores do Tamoyo em campeonatos estaduais de amadores e municipais por um bom tempo. Henrique, um atleta forte na marcação que dificilmente permitia que o centroavante levasse vantagem. Rosa Franco, no campo conhecido pelo codinome de "Batista", era um verdadeiro camisa 8, que, com sua simplicidade, fazia a bola rolar no meio de campo. Clóvis Tropeiro, por sua vez, era um matador nato, homem de muitos gols, que infernizava os zagueiros.

DUDU

Eduardo Godoy (Dudu), atleta de formação nas categorias de base do Tamoyo, jogava como atacante. Muito habilidoso e com forte faro de gol, logo chamou a atenção do Grêmio Porto-Alegrense, onde ficou por um bom tempo, transferindo-se depois para o Estado de São Paulo, onde foi jogar no São Caetano. Esteve também num período de testes na Juventus, em Turim, na Itália, em 2002. Foi presidente do Tamoyo e hoje trabalha como empresário de futebol.

CAPÍTULO X

Futebol na Praça da Igreja.
Praça "Celeiro de Ases"!

"Futebol de salão na melhor quadra de saibro do mundo
e futebol de campo com taquara como travessão,
enfiada entre duas árvores, ao redor da praça.
De vez em quando, um vidro quebrado na bodega do Bolaia,
que, para variar, resolvia furar a bola."

Juarez Godoy

OS AGITADORES DA PRAÇA

Grupos de amigos criados em Viamão e que jogavam aos sábados e domingos, à tarde, no campinho da Praça da Igreja (Matriz), fizeram surgir os craques de bola que mais tarde iriam jogar no campo maior do Tamoyo.

Estes da foto, na Praça Júlio de Castilhos, foram campeões do Campeonato Interpraças de Viamão em 1º de abril de 1961. De pé, da esquerda para a direita: Abilinho, Antônio Menezes, Milton Santos, Mário Loco, Zezinho, Ronald, Índio Carvalho, Romualdo (Nonona) e Emílio Allem.

Agachados, na mesma ondem: Adão, Moacir Macaco, Agenor Ferreira, Silvio Boca, Osi, Raul Menezes e Antônio Marques.

Os jogos na Praça da Igreja eram motivo suficiente pra juntar a turma.

Resultados dos jogos

Praça Júlio de Castilhos 4 x 1 Praça da Matriz. Gols de Osi (2) e Raul Menezes (2).

Praça Júlio de Castilhos 5 x 1 Tarumã. Gols de Osi (2), Raul Menezes (2) e Zezinho.

CAMPEONATO ANUAL INTERPRAÇAS

EQUIPE DA PRAÇA DA MATRIZ

Esta é uma das formações da Praça da Matriz, nas disputas dos anos 1960, posando com Antônio Menezes na estica, Itamar Carvalho, de camisa social, Haroldo Franco, Marquinho Bueno, Geraldo Freitas, Índio Carvalho (gêmeo do Itamar) e Nonona, em pé.

No estilo vascaíno.

Agachados, Rogério Mendelski, Zeca Kraemer, Parobé, Paíca e Gordo (Pacheco), agachados.

TRAVES DE PAU E CASARIO ANTIGO

Índio Carvalho, Haroldo Franco, Geraldo Freitas, Marquinho e Gordo, em pé. Rogério Mendelski, Parobé, Paíca e Zeca Kraemer, agachados.

A cena é no campo da Praça da Igreja, com o casario antigo ainda existente ao fundo. A quadra retratada é entre a antiga casa paroquial e o armazém dos Irmãos Carvalho.

A carroça no fundo denuncia a época (anos 1960).

TORNEIO DE 1966

Registro importante de um torneio de futebol de salão na Praça da Matriz em 1966. Esta equipe é a da turma do União. Em pé, Milton Santos, Mauro Santos e Macau; agachados, Amaro, Agenor e Tabajara.

Muita gente reunia-se para assistir.

PRIMEIROS JOGOS COM LUZ

Inauguração da iluminação para os jogos noturnos na quadra de saibro defronte da Igreja, benfeitoria patrocinada pelo primeiro a aparecer de pé na foto, Itamar Carvalho, seguido de Haroldo Franco, Polinho e Valtinho. Agachados, Zeca Kraemer e Rogério Mendelski.

Uniformes variados no torneio (anos 1960).

Influência tamoyense nas camisetas.

Instalada a iluminação, intensificaram-se os jogos à noite na Praça da Matriz, com torneios que reuniram diversas formações da época, no estilo futebol de salão, com quatro na linha e um no gol.

Na foto acima, dos anos 1960, pode-se ver Itamar, Geraldo Freitas, Ivan Silva, Tabajara e Ferrinho, em pé. Jorge Queijo, Raul Menezes e Tiago, agachados.

Em pé, Felipe Menezes e Alaor. Agachados: Zé Magrão, Pipico e Roberto Rodrigues.

Era comum a gurizada dar os primeiros chutes da vida na Praça da Igreja Nossa Senhora da Conceição para depois desfilar as suas habilidades no gramado do estádio do Tamoyo. Nesta foto, o time Canarinho, liderado por Beto Jaeger (dono da bola e das camisetas), que era figurinha carimbada da quadra de saibro da praça.

Na foto, Gilberto Jaeger (Beto), Valdir Jacaré e Dálcio Dorneles, em pé.

Sepé Tiaraju Vargas e Erni Marola, agachados.

Sepé e Marola foram dois atacantes que marcaram época como grandes goleadores do Tamoyo Futebol Clube posteriormente.

O time do Beto Jaeger foi de Grêmio.

TORNEIOS NA PRAÇA

O carro antigo e a gurizada esculhambando a foto.

O menino Erni (Marola), mesmo de porte físico bem menor do que os demais, já mostrava as suas habilidades no futebol da praça. Na foto do time, de pé estão Joel do Restaurante Tarumã, Valdir Jacaré e Dálcio. Agachados, Beto Jaeger, Marola e Buque Figueiredo. As crianças ao fundo são, à esquerda, Miguel da Folha (jornaleiro de Viamão), Bira Mros e Sarará da Julieta, à direita, ao fundo.

A foto chama a atenção pelo velho casario açoriano que rodeava a Praça da Igreja e que hoje só resta em fotografia devido ao descaso de autoridades municipais, que nunca se preocuparam com sua preservação. Pode se ver a vida pacata da cidade à época e um Citroën anos 1950. Nesse torrão, o Tamoyo garimpou muitos jogadores.

Nessa época (final dos anos 1960), o que a gurizada mais queria era jogar futebol, e os torneios foram tornando-se populares. As diferentes turmas dividiam-se por bairros – Lomba, Mendanha, Krahe, Praça da Igreja, Praça da Borracheira – e assim formavam-se os times que disputavam o troféu de campeão.

Seu Ivan, de cartola, apadrinhava o time.

Signal, este time de futebol de salão da foto, era a sensação dos torneios de juvenis da Praça da Matriz. Na foto podemos ver, de pé, uma pessoa não identificada, Baiard, Perfeito e seu Ivan. Agachados, Sepé Vargas, Ivanzinho e Beto Vargas. Mais tarde foram guindados ao Tamoyo, onde se destacaram.

Esta imagem ao lado também é dos torneios defronte da Igreja, nos anos 1960. Bem à frente, à esquerda, os irmãos Marçal e Donga. Marçal foi dos mais jovens a integrar o 1ª quadro do Tamoyo, lateral-esquerdo muito aplicado e valente, foi titular em várias temporadas.

Ao lado do goleiro do time que recebe o troféu, os irmãos Marçal e Donga.

Donga também começou cedo a figurar entre os mais talentosos jogadores do município, primeiro servindo ao Metropol, tendo sido cooptado pelo Tamoyo, onde sempre se destacou como um dos mais habilidosos. Essa habilidade o fez despontar como um dos grandes jogadores de futebol de salão de Viamão. Parou de servir ao 1ª quadro com pouco mais de 30 anos, candidatando-se e ganhando a presidência do clube, onde fez um ótimo trabalho, organizando documentação e sendo cuidadoso e zeloso com o patrimônio.

CAPÍTULO XI

Almanaque do Tamoyo

"Na jogada rápida e no contra-ataque
O time dá um show
Tabela até invadir a grande área
Para somente com o gol"

Rodolfo Rodrigues dos Santos

Em solenidade no início dos anos 1970, o prefeito Clodoaldo Veiga recebe o fogo simbólico das mãos do atleta Dálcio, vestido com a camisa do Tamoyo.

O evento de chegada do fogo simbólico na Semana da Pátria surgiu em 1937, durante o Estado Novo. Em Viamão, um grupo de atletas era levado de ônibus até os limites com Porto Alegre para ali receber a chama acesa, exatamente à meia-noite do dia 31 de agosto.

Ocorria então uma maratona, com o fogo passando de mão em mão a cada 500 metros, até a entrada da cidade, onde os corredores entravam ao som da banda do maestro Belomé. Entre os jovens atletas que conduziam o fogo, a partir da fundação do clube, em 1944, estavam sempre vários representantes do Tamoyo Futebol Clube. Na foto, o tamoyense Dálcio Dorneles entrega a tocha ao então prefeito Clodoaldo Veiga.

Dálcio foi um dos vibrantes tamoyenses da história do clube que desde menino acompanhava seu pai, o seu Dorneles, também torcedor fervoroso do índio viamonense. Dálcio começou a jogar muito cedo nos aspirantes. Com esse currículo e vivência de vestiário, chegou a treinador, sagrando-se campeão regional estadual de 1979, feito só atingido antes em 1964.

O CORCEL VERMELHO DO MESSILVA

Presidente Messilva acompanhado de seu inseparável Corcel e de sua sobrinha Vera Messina.

Era presença constante nas tardes de domingo o Corcel vermelho do presidente Messilva, geralmente acompanhado dos seus familiares, ficando o veículo estacionado na entrada do estádio, à esquerda do campo, na área da torcida tamoyense.

O presidente Messilva Messina da Silva foi um dos maiores da história do clube pela sua dedicação e visão, inspirado na ideia de formar um grande clube, à altura de Viamão.

Na sua gestão, um dos feitos mais extraordinários foi o erguimento do clássico pavilhão com dois vestiários, uma sala de massagem e arquibancadas para 200 pessoas. A sua diretoria tinha como vice Osvaldo da Silva Alves e como tesoureiro Adão Ricardo Pinto.

Foi no seu mandato, de 1969 a 1972, que o estádio ganhou o nome em homenagem ao viamonense Edgar Leitão Teixeira (primeiro presidente do clube).

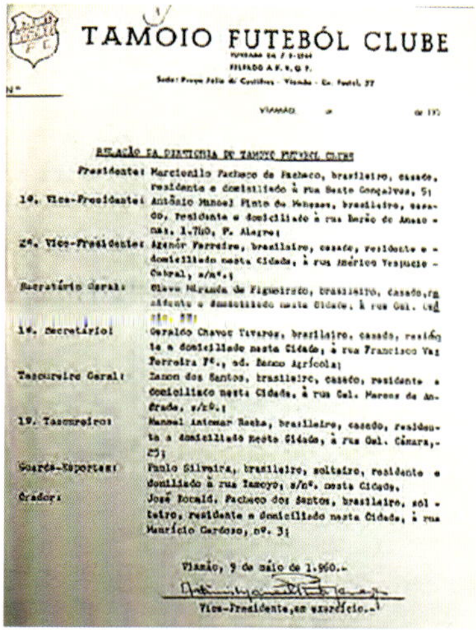

TAMOIO FUTEBÓL CLUBE

[illegible]

Nº

Viamão, [illegible] de 19[illegible]

RELAÇÃO DA DIRETORIA DO TAMOIO FUTEBOL CLUBE

Presidente: Marcionilo Pacheco de Pacheco, brasileiro, casado, residente e domiciliado à rua Bento Gonçalves, 5;

1º. Vice-Presidente: Antônio Manoel Pinto de Menezes, brasileiro, casado, residente e domiciliado à rua Barão do Amazonas, 1.740, P. Alegre;

2º. Vice-Presidente: Agenór Ferreira, brasileiro, casado, residente e domiciliado nesta Cidade, à rua Américo Vespucio Cabral, s/nº.;

Secretário Geral: Cleve Miranda de Figueiredo, brasileiro, casado, residente e domiciliado nesta Cidade, à rua Gal. [illegible], 27;

1º. Secretário: Geraldo Chaves Tavares, brasileiro, casado, residente e domiciliado nesta Cidade, à rua Francisco Vaz Ferreira Fº., ed. Banco Agrícola;

Tesoureiro Geral: Zanon dos Santos, brasileiro, casado, residente e domiciliado nesta Cidade, à rua Cel. Marcos de Andrade, s/nº.;

1º. Tesoureiro: Manoel Antomar Rocha, brasileiro, casado, residente e domiciliado nesta Cidade, à rua Gal. Câmara, 25;

Guarda-Esporte: Paulo Silveira, brasileiro, solteiro, residente e domiciliado à rua Tamoyo, s/nº. nesta Cidade.

Orador: José Ronald. Pacheco dos Santos, brasileiro, solteiro, residente e domiciliado nesta Cidade, à rua Maurício Cardoso, nº. 3;

Viamão, 9 de maio de 1.960.-

Vice-Presidente, em exercício.-

Documento de 9 de maio de 1960 que comunica à Federação Gaúcha de Futebol a posse e relação de integrantes da nova diretoria do Tamoyo.

QUADRO DOS PRESIDENTES DO TAMOYO

O presidente do Tamoyo Hélio Pinto de Menezes (bem à esquerda), o tenente Abreu, Edgar Leitão Teixeira e Nelson Veiga assistindo a uma partida na Várzea da Maria Lopes entre o rubro-negro viamonense e o Paladino, de Gravataí, em 1953.

1944/45	Edgar Leitão Teixeira
1945/46	Walter Thompson
1946/47	Aldo de Oliveira
1947/48	Hélio Pinto de Menezes
1948/49	César Manoel Lopes
1950/51	Agenor Ferreira
1952/53	Hélio Menezes
1954/55	Edgar Leitão Teixeira
1956/57	Aldo Oliveira
1958/59	Agenor Ferreira
1960/61	Marcionilo Pacheco de Pacheco
1962/63	Agenor Ferreira
1964/65	Honório Barbosa
1966	Antônio Menezes
1967/68	João Ferreira
1969/72	Messilva Messina da Silva
1973/74	Manoel Antomar da Rocha
1975/79	João Ferreira e José Paulo Tófolli
1980/81	Zenon dos Santos e vice Wilson Oliveira Costa
1981/82	Júlio Bianchi e vice Juarez Nunes Godoy
1982/83	João Ferreira e vice Gerson Borin da Silva
1984	Manoel Antomar da Rocha
1985	Carlos Rocha, vice Elmo Almeida da Silva
Set 1985/ 27 mar 1986	Carlos Remi Pacheco, vice José Arthur Teixeira
27 mar 1986	Moacir Santos, vice Haroldo Franco
1988	Arnaldo Moacir da Silva Marçal, vice Wilson Antônio da Costa Arruda
1988/89	Sérgio Tadeu dos Santos Reis, vice Gilberto da Silva Marçal
1989/90	Marciano Costa Machado, vice Claudio Roberto da Rocha
1990/91	Juarez Nunes Godoy, vices Miguel Ângelo da Silva e Ubirajara da Rocha Mros
1991/92	Romer Guex, vice Dálcio Dorneles
1992/93	Romer Guex, vice João Francisco de Abreu Fraga (Romer se licenciou dia 24 de março de 1993 e assumiu seu vice)
1993/94	João Francisco de Abreu Fraga e vices Adair Alves e Ronaldo Silva
1994/95	Arnaldo Moacir da Silva Marçal, vice Ségio dos Santos Vieira
1995/96	Juarez Nunes Godoy, vice Gilberto da Silva Marçal
1996/97	Ial Nei de Souza Nunes, vice João Francisco de Abreu Fraga
1997/98	João Francisco de Abreu Fraga, vice Gilberto da Silva Marçal
1988/99	José Renato de Abreu Fraga, vice Dionildo Martins
1999/00	Loecy José da Silva e vice Ronaldo Gomes da Silva
2000/01	João Francisco de Abreu Fraga, vice José Renato de Abreu Fraga
2001	Arnaldo Moacir da Silva Marçal, vice Paulo Vladimir de Farias Quintana
2002	Paulo Vladimir de Farias, vice Adair de Fraga Alves
2003	Paulo Vladimir Farias, vice Marco Antônio Vargas
2004	Marco Antônio Vargas, vice Luís Carlos Telles Lopes
2005/07	Marco Antônio Vargas, vice Adair de Fraga Alves
2008/09	Marco Antônio Vargas, vice Adair Fraga Alves,
2010/11	Ivânio Lang, vice Adair de Fraga Alves
2012	Paulo Vladimir Farias, vice Gilmar Fraga Goulart
2013/14	Paulo Vladimir Farias, vice Ial Nei de Souza Nunes Júnior
2015/16	Eduardo da Cunha Godoy, vice Ial Nei de Souza Nunes Júnior
2017/18	Eduardo da Cunha Godoy, vice Ial Nei de Souza Nunes Júnior
2019/20	Ial Nei de Souza Nunes Júnior, vice Eduardo da Cunha Godoy
2021/22	Ial Nei de Souza Nunes Júnior, vice Eduardo da Cunha Godoy
2023/24	Breno Willian Brito, vice Juarez Nunes Godoy

PARTIDAS LENDÁRIAS REGISTRADAS NO *CORREIO RURAL*

O jornal *Correio Rural,* de Viamão, um dos mais antigos do Estado, acompanhou sempre a trajetória do Tamoyo, registrando semanalmente a agenda das partidas, os resultados dos jogos e às vezes a escalação.

CANELA

No dia 20 de setembro de 1980, o Tamoyo empatou na serra, em Canela, contra o time Celulose, competindo no 2º turno do Campeonato Estadual Amador. Resultado: 2 x 2.

CAMPO BOM

Na noite fria do dia 25 de outubro de 1986, o Tamoyo enfrentou, na cidade de Campo Bom, a conhecida equipe do XV de Novembro, sendo derrotado pelo placar de 2 x 0, num jogo muito disputado de parte a parte em que, no final, acabou prevalecendo o melhor preparo físico da equipe do XV, com gols convertidos aos 35' e 42' da etapa final. Com perfeito equilíbrio técnico e tático, os rubro-negros viamonenses souberam se impor no primeiro tempo chutando uma bola na trave adversária. Tamoyo: Marco Aurélio, João Carlos, Miro, Cado, Nilton (Bebeto), Bode, Ferrão, César, Edson, Áureo (Gilson) e Wilson Roberto.

GRAVATAÍ

No domingo, 14 de novembro de 1986, na cidade vizinha de Gravataí, o Tamoyo não passou de um empate em 1 x 1 contra o América (campeão amador daquela cidadc). No primeiro tempo, o rubro-negro desperdiçou tres boas oportunidades de gol. Embora a boa atuação na segunda etapa, o técnico Rogério resolveu mexer no time e a equipe caiu de rendimento. O adversário cresceu e marcou seu gol. No final, aos 44', Chiquinho, numa escapada, empatou o jogo para o Tamoyo. O time formou com Marco Aurélio, Bebeto, João Carlos, Cado, Téia, Bode, César, Edson (Vitor), Ferrão, Áureo (Gilson) e Wilson Roberto.

VIAMÃO

Na festa da reabertura do Estádio Edgar Leitão, no dia 23 de novembro de 1986, com muito sol, festa e a presença de um excelente público, a equipe do Tamoyo Futebol Clube voltou a se apresentar em seu gramado, mas sendo derrotada por 4 x 1 pela forte equipe do XV de Novembro de Campo Bom (campeã estadual de amadores). Tamoyo: Marco Aurélio (Luciano), João Carlos, Miro, Cado, Bebeto, Bode (Vitor), Rogério Bicudo, César (Chiquinho), Edson (Gilson), Wilson Roberto e Ferrão.

DOIS IRMÃOS

No dia 22 de setembro de 1988, o Tamoyo ganhou do 7 de Setembro de Dois Irmãos pelo placar de 4 x 3, depois de sair perdendo por 2 x 0. O jogo valia pelo Campeonato Estadual de Amadores – Divisão Especial.

GRANDES GOLEIROS DO CLUBE

- Geraldo Tavares
- Zenon
- Cici
- Aristeu
- Arlei
- Cegonha
- Clóvis
- Mauro Santos
- Joel
- Odilon Dubal
- Barbosa
- Miguel
- José Paulo Tófolli
- Cláudio Leite
- Bruno César Burgel
- Luiz Fernando Martins (Bolachão)
- Jorge Ivo (Toco)
- Orfeu
- Ico
- Mauro Felipe
- Marco Aurélio
- Bentevi
- Pimentinha

O goleiro Mauro Santos, de pé. Coronel e Cícero, agachados.

AS MELHORIAS PROMOVIDAS NA HISTÓRIA DO CLUBE

O presidente Edgar Leitão Teixeira foi quem trabalhou com sua equipe para conseguir a área conhecida como Várzea da Maria Lopes, transformada depois na sede do Tamoyo. Também foi ele, na condição de primeiro presidente, a requisitar a filiação do clube na Federação Gaúcha de Futebol.

Outro presidente muito lembrado é Honório Barbosa, que começou a construir uma boa parte do muro de alvenaria que demarcou os contornos do estádio.

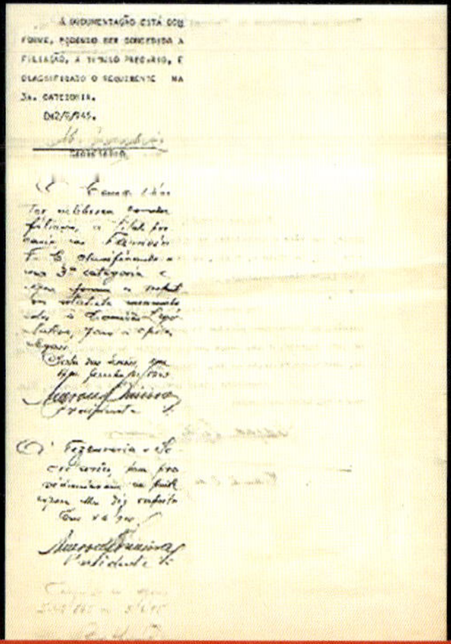

A DOCUMENTAÇÃO ESTÁ CONFORME, PODENDO SER CONCEDIDA A FILIAÇÃO, A TÍTULO PRECÁRIO, E CLASSIFICADO O REQUERENTE NA 3a. CATEGORIA.

O conselho diretor deliberou conceder a filiação ao Tamoyo em 4 de junho de 1945, como atesta o documento firmado pelo presidente da Federação, dr. Aneron Corrêa de Oliveira.

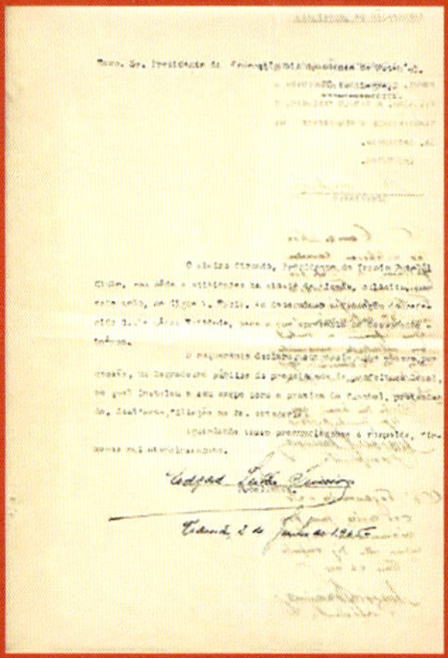

Em junho de 1945, como comprova o documento acima, o então presidente do Tamoyo Futebol Clube, Edgar Leitão Teixeira, encaminhou o pedido formal de filiação à Federação Gaúcha de Futebol.

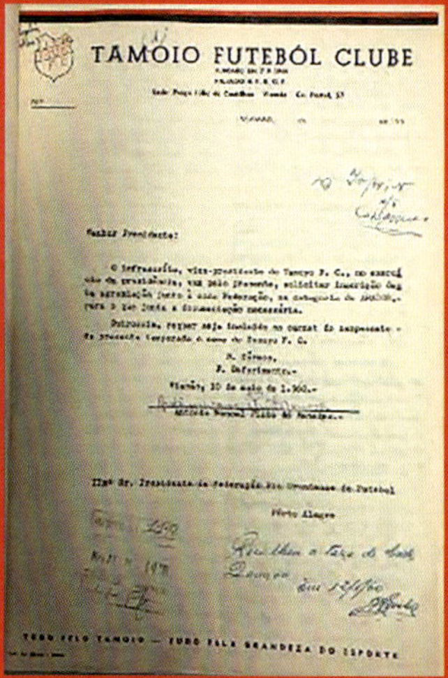

TAMOIO FUTEBÓL CLUBE

Senhor Presidente:

Viamão, 10 de maio de 1.960.-

Porto Alegre

TUDO PELO TAMOIO — TUDO PELA GRANDEZA DO ESPORTE

Em 1960, este documento registra a solicitação do Tamoyo junto à FGF para a inscrição do clube na categoria de Amadores.

INAUGURAÇÃO DAS ARQUIBANCADAS

Fotografia de 1970, no momento da inauguração do novo pavilhão do Tamoyo. Da esquerda para a direita, dr. Lobato, Osvaldo Alves (vice-presidente), Messilva (presidente), Clodoaldo Prates da Veiga (prefeito) e Olavo Figueiredo (assessor da Prefeitura).

O presidente Messilva Messina da Silva e seu vice Osvaldo Alves são considerados os grandes realizadores do clube, responsáveis pelas primeiras goleiras de ferro e pela construção do primeiro e único pavilhão coberto do estádio.

O presidente Adair Alves deixou sua marca com a instalação da tela que cerca o campo, uma exigência da Federação Gaúcha de Futebol para que o clube pudesse participar do Campeonato Amador de Futebol.

Já o presidente Moacir Santos e seu dinâmico vice-presidente Haroldo Franco foram os responsáveis pela construção do pórtico de entrada do estádio, pela reforma geral e instalação do novo prédio-sede, com suas dependências com vestiário, copa, sala da diretoria e área social. Na época, contaram com o apoio do prefeito Tapir Rocha.

O presidente Juarez Nunes Godoy – o Bodinho – e seus dois vices-presidentes, Miguel Ângelo e professor Bira Mros, foram os responsáveis pela construção da primeira arquibancada de concreto, onde tiveram um apoio muito importante do Orlando da Farmácia.

O presidente João Francisco de Abreu Fraga foi o grande responsável pela continuação da arquibancada.

TORTA, A TORCIDA DO TAMOYO

Nestas imagens dos anos 1980, a torcida do Tamoyo, também conhecida como Torta, reunia-se na copa do clube com sua encantadora batucada, saboreando muitas cervejas geladas.

A Torta foi uma criação do Caçapa (Sérgio Bueno), jogador promissor e craque de bola que parou muito cedo devido a uma cirurgia precoce de joelho que o impossibilitou de continuar jogando. Ele é irmão de Paíca, um dos grandes ídolos do clube. Além de torcedor, colaborou como técnico na equipe principal, após ter parado de jogar.

A marca registrada da torcida era a banda comandada por seu violão, que animava a turma antes, durante e depois dos jogos. Essa era a verdadeira "Seleção da Copa".

O estádio do Tamoyo foi sempre lugar de encontro e confraternizações nos finais de semana.

ANTOMAR E A ESCALAÇÃO

Antomar nos traços de Canini.

Antomar foi de jogador a presidente do clube. Certa feita, na década de 1970, ocupava o cargo de treinador num time do Tamoyo que tinha, entre outros, Bito, Bebeto Cabeça, Cacau, Raninho e Adair Galo, capitão da equipe. Mas existia muita onda e pressão no vestiário. Uma dessas ondas de desestabilização do treinador vinha da fofoca de que ele protegia alguns atletas por questões extracampo. Como a pressão estava muito forte, em certo jogo, Antomar mandou os atletas fardarem-se enquanto ele estudava a escalação. Naquele tempo, as camisas de 1 a 11 estabeleciam quem iria sair jogando e só eram entregues pelo treinador minutos antes da equipe entrar em campo. Todos os jogadores ficavam na expectativa de ser titulares. Todo mundo fardado aguardando Antomar no vestiário quando um "assoviozinho" – chamando por Adair Galo – veio da janelinha da sala de massagem. "Toma aí," Adair. Era um pedaço de papel e nele estava a escalação. Antomar evitava assim que tivesse que ir ao vestiário, onde certamente sofreria pressão e contestação. Golpe de mestre do treinador Antomar nos ondeiros da velha raposa.

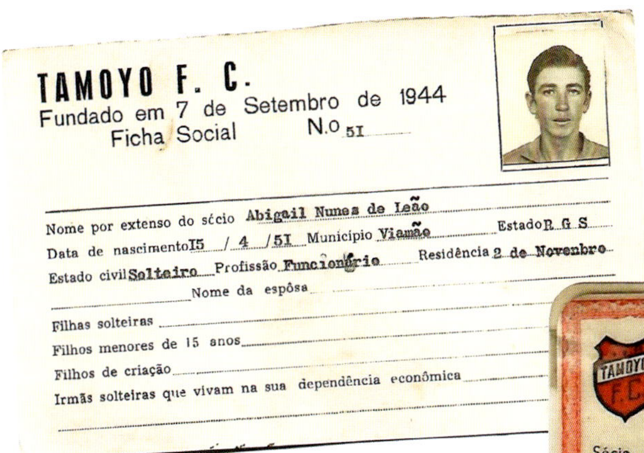

TAMOYO F. C.
Fundado em 7 de Setembro de 1944
Ficha Social N.o 51

Nome por extenso do sócio Abigail Nunes de Leão
Data de nascimento 15 / 4 / 51 Município Viamão Estado R. G. S.
Estado civil Solteiro Profissão Funcionário Residência 2 de Novembro
Nome da espôsa
Filhas solteiras
Filhos menores de 15 anos
Filhos de criação
Irmãs solteiras que vivam na sua dependência econômica

Ficha do Tamoyo F. C. do sócio conhecido como Cascudo (Abigail Nunes de Leão).

TAMOYO F. C.
Fundado em 7/9/44
N. 62.- VIAMÃO
Sócio MANOEL ANTOMAR DA ROCHA
Categoria Proprietário
TESOUREIRO

Carteirinha de sócio do clube.

SELEÇÕES DE TODOS OS TEMPOS

As formações abaixo são seleções de jogadores de todos os tempos do Tamoyo Futebol Clube aos olhos de alguns convidados, pessoas que conheceram a fundo a história da agremiação em diversos momentos.

A SELEÇÃO DO MOACIR SANTOS

Miguel (pai do Fernando Limpeza), Brocoió (ETA), Dida, Tonico, Lindoberto, Moacir Jacques, Amadeu, Nelsinho Veiga, Paíca, Bortoli, Paulo Maia (ETA) e Flávio Silva.

A SELEÇÃO DO ADAIR ALVES (GALO)

Joel, Javali (ETA), Adão Segredo, Miro, João Pendão, Cacau, Bode, Eduardo, Moacir Santos, Raninho e Marola.

A SELEÇÃO DO SILVIO BOCA

Mauro Santos, Paulo Silva, Silvio Boca, Pepino, Tabajara, Moacir Jacques, Antomar, Geraldo Freitas, Amadeu, Paíca e Raul Menezes.

A SELEÇÃO DO JUAREZ GODOY (BODE)

Mauro Santos, Javali, Adão Segredo, Juarez (Carlos Fernando), Clóvis Camundongo, Cacau, Eduardo, Paíca, Moacir Santos, Zeca Porto Alegre e Marola.

A SELEÇÃO DO MAURO OLIVEIRA

Mauro Santos, Paulo Roberto, Silvio Boca, Miro, Breno, Bode, Chiquinho, Paíca, Moacir Santos, Wilson Roberto (Cabeça) e Marola.

A SELEÇÃO DO ERNI MAROLA

Goleiro Joel – anos 1970; ala-direito, Javali (ETA) – anos 1960; zagueiro central, Adão Segredo – anos 1970; quarto-zagueiro, Juarez (Carlos Fernando) – anos 1960; ala-esquerdo, João Pendão – anos 1960; primeiro volante, Cacau – anos 1960 e 1970; meias, Bode – anos 1970 e 1980 – e Paíca – anos 1960; ponta-direita, Queijo – anos 1970; centroavante, Zeca Porto Alegre – anos 1970; e ponta-esquerda, Santa Maria (ETA) – anos 1960.

CENTROAVANTES

Muitos vestiram a camisa 9 do Tamoyo e fizeram história, desde Paulo Maia, Paulo Bortoli, Sepé, Zeca Porto Alegre, Marola, Cabeça, entre outros. Dois, contudo, embora tenham se destacado, não são citados em seleções do clube – casos de Bito e Paulo Mandioca.

Paulo Mandioca, atacante muito rápido e forte, foi um grande goleador do rubro-negro viamonense. Mesmo pacato, levava muito pau. Contudo, era muito forte, andava, literalmente, por cima dos zagueiros e dificilmente passava em branco em uma partida. Embora de porte físico avantajado, tinha velocidade e um faro de gol impressionante, sendo lembrado como um dos grandes centroavantes do Tamoyo.

Bito era um jogador vigoroso, de muita força física, não fugia do pau – como se diz no futebolês – e já na primeira dividida com o zagueiro mostrava a cara e começava com as provocações, o que, vira e mexe, se transformava em um enrosco geral. Admirado por uns, criticado por outros, era um goleador nato e foi um dos mais longevos centroavantes do clube, onde encerrou sua carreira.

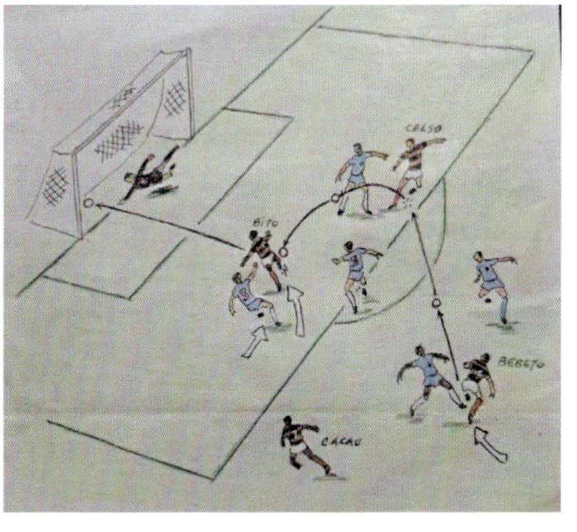

Jogada que termina com um gol de Bito.

O PÓRTICO DO ESTÁDIO EDGAR LEITÃO TEIXEIRA

Projeto desenvolvido nos anos 1980 e que envolveu também a renovação das instalações internas do Estádio Edgar Leitão Teixeira.

O Tamoyo passou a contar com uma estrutura de dar inveja a muitas equipes profissionais. No futebol, a tradição se mantém com categorias de base que disputam as competições organizadas pela FGF.

O pórtico que marca a porta de acesso ao Estádio Edgar Leitão Teixeira surgiu de um projeto criado e desenhado pelo viamonense Haroldo Franco para a entrada de Viamão, de um concurso para pórtico da cidade promovido pelo Lions Clube. O plano foi vetado pelo prefeito da época, para sorte do Tamoyo, que nos anos 1980 promoveu a sua construção, obra realizada com apoio da Prefeitura, na gestão do ex-prefeito Tapir Rocha. O cartão-postal ficou para o rubro-negro.

O desenho do pórtico inspirou-se nas torres da Igreja de Nossa Senhora da Conceição de Viamão, tombada pelo

Vista traseira do pórtico, majestoso por fora e por dentro.

O novo pórtico de acesso após a reforma dos anos 1980, quando foi inaugurado.

Iphan como patrimônio histórico nacional, projetada pelo engenheiro militar Francisco Costa Sena em 1765. A Igreja é também um símbolo máximo da cidade onde nasceu o Tamoyo. A ideia ganhou os traços finos e habilidosos do Haroldo Franco – tamoyense raiz – quando ele assumiu a vice-presidência do clube, fazendo uma dobradinha com o então presidente Moacir Santos.

O acesso ao estádio antes do pórtico.

"O prefeito da época, Tapir Rocha, foi peça fundamental para a reconstrução do Estádio Edgar Leitão Teixeira. Lembro que fomos à Prefeitura, eu e o Moacir, para pressionar o Tapir com a finalidade de que a Prefeitura viesse a contribuir com a mão de obra para a empreitada. Não precisou pressionar muito, pois como o Tapir era tamoyense, já existia uma predisposição em ajudar. O que ele salientou é que colaborava com a obra porque não tinha contexto político-partidário, uma vez que eu e o Moacir nunca fomos ligados a partidos políticos. Para a nossa felicidade, o engenheiro encarregado de acompanhar o projeto foi o Nilton Magalhães, que a bem da verdade dedicou seu tempo e seus conhecimentos nesta realização. Não posso deixar de ressaltar as importantes contribuições do Romer Guex, do Arnaldo da Silva Marçal (Donga) e do empenho no acompanhamento das contas feito pelo Sérgio Tadeu dos Santos Reis (Queijinho), de quem temos tanta saudade. O responsável pela qualidade dos serviços foi o mestre Ironi, que colocou seus pedreiros e artesãos a serviço da obra, que foi por ele entregue dentro da melhor qualidade. Deu muito trabalho, mas valeu a pena. Sempre digo que o que fizermos em prol do TAMOYO é pouco, pois essa sociedade esportiva nos proporcionou momentos inesquecíveis de nossa infância e juventude.

Conseguimos quase todo o material por doação, tendo respaldo na grande influência do Moacir junto ao comércio e às indústrias locais. Tínhamos credibilidade. Por outro lado, fizemos uma larga campanha publicitária com a ajuda da Agência Um e com a Martins e Andrade. A primeira por intercessão da Niúra Ribeiro e a segunda por ajuda do muito querido e saudoso Nonona, o Romualdo Chiden Skowronski. Embandeiramos toda a cidade com as cores rubro-negras e enfeitamos as vitrines das lojas com motivos esportivos. Foi muito bonito. Mas nosso objetivo maior era levar o público viamonense de volta ao Estádio Edgar Leitão Teixeira, o

Antiga estrutura de vestiários e Copa.

Antigo pavilhão do Tamoyo construído na gestão do presidente Messilva Messina da Silva e seu vice Osvaldo da Silva Alves com uma ótima estrutura para a época. Mais tarde destruído para a grande reforma do estádio pelo presidente Moacir Santos.

que conseguimos, mediante a realização de muitas festas e eventos, como, por exemplo, a maior delas, o Dia da Criança, ocasião em que levamos ao estádio centenas de pessoas que passaram o dia deleitando-se com brincadeiras, jogos e guloseimas graciosamente proporcionados pelo comércio local.

Uma coisa interessante, que poucos sabem, é que por muitos anos a equipe do Tamoyo jogou em uma cancha fora do esquadro. Por incrível que pareça, o Donga, que trabalhava com isso, na época, notou que o campo era torto. Em vez de ser um retângulo era um losango. Usando aparelhos de topografia, ele consertou o erro e de lambuja realizou a drenagem do gramado de forma profissional. Estivemos por dois anos em obras e mesmo assim mantivemos a equipe de futebol atuando em diversas cidades do Estado, sob a batuta do professor Rogério Barata. O trabalho foi grande e intenso. Tanto é que eu e o Moacir comparecíamos ao estádio para ver o andamento das obras. Jamais me arrependerei do trabalho que eu tive. Aliás, acho que foi uma obrigação minha em retribuir a toda a alegria e satisfação que o Tamoyo me proporcionou. Só as amizades sinceras que cultivamos graças a essa entidade esportiva já pagam todo o esforço que se possa fazer para ajudar. Gratas recordações."

JOGO DE INAUGURAÇÃO DAS REFORMAS DO ESTÁDIO EDGAR LEITÃO TEIXEIRA

Na inauguração das reformas no estádio, no dia 23 de novembro de 1986, quando o Tamoyo sofreu uma derrota de 4 x 1 para o XV de Novembro, de Campo Bom.

O Super Haroldo foi um personagem criado pelo cartunista viamonense Gilmar Fraga, sempre muito presente nas páginas do jornal *Quarta-Feira*. O personagem retrata Haroldo Franco, atleta e dirigente do clube.

A RÁDIO TAMOYO

Nas edições da Copa Quarta-Feira, no início dos anos 1990, e nos momentos festivos, organizava-se a Rádio Tamoyo, com narração de Luís Cabrito, comentários de Wilson Arruda e atuação como repórter de campo do viamonense Jotinha Guedes (que não aparece na foto).

A rádio tinha um circuito interno ao estádio, no modelo "rádio alto-falante", com as caixas de som que o técnico em eletrônica Luís Cabrito fornecia e montava gentilmente para o evento.

Os "radialistas" acomodavam-se nas arquibancadas entre os torcedores.

Conferindo a rádio de perto, a foto flagrou o então menino e mascote Dudu com a camisa rubro-negra (no futuro, seria um dos grandes atletas e também um dos presidentes do clube).

PRAIANO

No início dos anos 1970, nos meses de verão, as atividades esportivas amadoras em geral eram suspensas devido à dificuldade de manter o plantel de atletas, que zarpavam para as praias para disputar um campeonato interpraias organizado pela Cia. Jornalística Caldas Júnior. O Tamoyo não ficava de fora. Por intermédio de Adair Galo, o clube disputava o Praiano representando a praia de Jardim Atlântico como Sociedade Amigos de Jardim Atlântico (SAJA). O campeonato era de alto nível, com a participação de jogadores recém-saídos dos clubes profissionais, e o Tamoyo, muito respeitado, não decepcionava.

Técnico Luiz Cabrito, Adair Galo, Bito, João Luiz, Bode, Jorge Ivo (Toco) e Luizinho Queixada, em pé.

Nando Porquinho, Pimenta do Meio, Marola, Queijo e Haroldo Franco, agachados.

FUTEBOL E CARNAVAL 1

O campo do Tamoyo sempre foi palco de muitas diversões entre a turma do complô, atletas e amigos do clube. A ligação com o Carnaval sempre esteve presente. Nestas duas fotos, dos anos 1960, podemos ver a gurizada num jogo do bloco contra os veteranos, onde todos fantasiados se divertiam numa partida de futebol com muitas brincadeiras.

Formação do bloco CCC Madrugada: Flávio Suvaco, Rogério Mendelski, Eduardo Pacheco (Barão), Zezinho, Zeca Kraemer e Antomar, em pé. Marco Prates, Parobé, Mário Louco, Paíca, Amaro e Macau, agachados.

FUTEBOL E CARNAVAL 2

"Complô": a palavra, no dicionário, tem o significado de "conspiração secreta contra uma autoridade, etc". No Tamoyo, a turma de Haroldo Franco, Bebeto, Paíca, Polinho e Mário Louco instituiu uma novo significado: "brincadeiras, sacanagens, gozações sem agredir ou ofender alguém". Inclusive um cordão carnavalesco muito popular na cidade, o CCC Madrugada, introduziu a expressão no seu nome: "Cordão Carnavalesco do Complô Madrugada".

Na foto acima, foliões do Tamoyo reunidos para o enfrentamento com o time do CCC Madrugada, com Adair, Dida, Moacir, um folião não identificado, Xaxá, Bortoli, Mariana, Zuzu, Ivan e Antomar, em pé. João Ferreira, Canela, Deco, Abílio, Geraldo, Ivo, Raul Menezes, agachados.

CAPÍTULO XII

Adversários tradicionais do rubro-negro viamonense

"...a esfera
espera
o chute que
num relâmpago
a dispara
na direção
do nosso
coração."

Ferreira Gullar

CARAMURU E ETA, CLÁSSICOS HISTÓRICOS

O Caramuru, primeiro adversário do Tamoyo.

O Caramuru, como já dito neste livro, foi o primeiro time a jogar contra o Tamoyo. Em sua época, nos anos 1940, usava o campo que havia na ETA para realizar suas partidas. A Escola Agrícola sempre teve forte envolvimento com o futebol. Os times que se formavam na instituição fundada em 1910 e localizada no Passo do Vigário, quando enfrentavam o Tamoyo, estabeleciam um ambiente de clássico, sempre com jogos muito disputados.

A escola em regime de internato e de formação técnica, agrícola e veterinária sempre foi um celeiro de bons jogadores, especialmente por causa da quantidade de alunos que vinham estudar em Viamão com origem em diversos lugares do Estado e até de outras regiões do Brasil.

Os tradicionais adversários

GUARANI

O Guarani do Mendanha (início dos anos 1970).

O Guarani Futebol Clube, o mais tradicional dos adversários do Tamoyo, que inicialmente se chamava Mendanha, em alusão ao bairro onde nasceu, foi fundado pela família Godoy Pinto, proprietária do matadouro que havia naquele bairro. Liderados por Telmo, um dos quatro irmãos, Gil, Carlinhos e Sérgio dedicaram-se à formação de um clube com envergadura para fazer frente ao Tamoyo, no início dos anos 1960. À época, em dias de clássico, o Guarani costumava reforçar-se com jogadores da capital e endurecer o páreo, sempre precedido de apostas e provocações. Com a morte prematura dos irmãos, a tarefa de manter vivo e forte o clube do Mendanha ficou com o desportista Carlos Godoy Pinto, o popular "Carlinhos do Guarani," que nunca poupou esforços para manter o time em lugar de destaque no esporte local, disputando campeonatos importantes como a Copa Quarta-Feira, entre outros.

KRAHE

O time verde e amarelo que vinha do campo do Jardim Krahe.

O Krahe – o time do bairro Jardim Krahe (sobrenome de João Krahe, um dos mais antigos proprietários de chácaras e que doou a área do campo de futebol) – foi fundado em meados da década de 1960. Na fundação estavam figuras conhecidas na cidade, como seu Osvaldo Alves, Albino, Antoninho Foragi, Eli Espíndola, Eugênio Viegas, o popular Salvador, entre outros. Em muitas oportunidades, esse clube cedeu jogadores para o Tamoyo, alguns dos quais tornaram-se ídolos e até dirigentes, como é o caso de Adair Alves, Delmo Matos e Dálcio Dorneles. Nos anos 1990, disputando a Copa Quarta-Feira, a equipe reergueu-se por iniciativa de um grupo formado pelos irmãos Pancho e Bororó, entre outros do bairro.

METROPOL

O azul e branco Metropol. Bem à direita na foto, Tapir Rocha (anos 1980).

O Clube Atlético Metropol foi fundado por um grupo de garotos liderados por Luís Carlos Fraga, o "Carlinhos Pé de Chumbo", que contava sempre com o apoio logístico do seu Darci Vieira (o Darci da Cachaça), que foi quem patrocinou o primeiro terno de camisetas. Seu Darci era dono do Depósito de Bebidas da Antárctica e era o pai do Sérgio e do Mauro Vieira. O Metropol também cresceu e virou destaque no futebol viamonense, oportunizando grandes enfrentamentos com o Tamoyo.

Carlinhos Pé de Chumbo era um agregador nato, formou grandes times auxiliado pelos técnicos Negrão Augusto, Trancão e Paulinho do Merico, que tinham muita experiência em futebol e olho clínico para garimpar jogadores. Apaixonados por futebol, Carlinhos e seus colaboradores fizeram do Metropol um dos principais clubes do município.

MARTINICA

O S. C. Martinica, fundado em 1950 pela família dos irmãos Dedé e João, é outro clube tradicional de nosso município, sediado na região homônima. Formava sempre um clássico ao enfrentar o Tamoyo. O histórico desses enfrentamentos sempre foi de muita rivalidade, com jogos emocionantes e disputados até o apito final.

O Martinica é um dos mais tradicionais escretes do futebol de várzea do município.

LOMBA

O E. C. Lomba do Sabão, fundado em 1954, tornou-se um dos grandes clubes da cidade, tendo sempre dificultado a vida do Tamoyo nos diversos confrontos que marcaram a história de ambos. O Lomba sempre primou por revelar jogadores jovens da sua própria comunidade, formando times competitivos, e muitos de seus atletas, em diversas ocasiões, reforçaram o Tamoyo nos campeonatos estaduais de amadores. O clube tem sede na Rodovia Tapir Rocha, na região chamada de Lomba do Sabão, nos limites com Porto Alegre, com a UFRGS e o Parque Saint-Hilaire.

O vermelho, azul e branco Lomba do Sabão, outro dos times que marcam a história do futebol de várzea.

Que o Tamoyo Futebol Clube, rubro-negro viamonense, nunca deixe de entrar em campo!

FONTES DE CONSULTA

Hemeroteca Digital - BNDigital (memoria.bn.br)
Jornal do Dia

Site *O Pensador, Poemas de futebol* - disponível em: https://www.pensador.com/poemas_de_futebol/

Site *Tardes de Pacaembu* (imagem de Tesourinha), disponível em https://tardesdepacaembu.wordpress.com/tag/osmar-fortes-barcellos/

ORTIZ, Vítor. *Histórias de Viamão, histórias do Rio Grande* - personagens e fatos da Primeira República na Velha Capital - Editora Libretos, 2015.

SANTOS, Adonis. *Viamão, lendas e vultos do passado* - Editora Correio Rural, 1963.

JORNAIS

Jornal Correio Rural (diversas edições)
Jornal Quarta-Feira
Jornal do Dia
Folha da Manhã
Diário de Notícias

ACERVOS

Arquivo Municipal
Memorial da Prefeitura de Viamão
Arquivo da Federação Gaúcha de Futebol

EM TEMPO

Em comum acordo com os autores, adotamos para esta publicação a grafia "Tamoyo", com "y", como aparece na maior parte das vezes nos documentos mais antigos, embora seja bastante comum encontrar Tamoio grafado com "i" em referência ao mesmo time de Viamão.

A identificação das pessoas que aparecem nas diversas fotografias e as histórias do Tamoyo foram possíveis graças à utilização da técnica da memória oral, em trabalho de pesquisa para o qual colaboraram Dálcio Dorneles, Erni Marola, Miguel Allem, Miguel Ângelo da Silva, Moacir Santos, Nelmo Malta Gutterres, Paulo Leão e Silvio Oliveira (Boca).

As fotografias foram cedidas por amigos, sócios e atletas do Tamoyo e por familiares dos que já faleceram. Também contamos com a colaboração dos fotógrafos Mauro Vieira e Luís Ávila. As reproduções foram feitas por Marco Nedeff.

A mão que aparece na foto de abertura do capítulo II é do tamoyense Maurício Andrade.

O EDITOR

VÍTOR ORTIZ

Editor da publicação, graduado em História pela UFRGS, gestor de diversos projetos culturais, foi secretário de Cultura de Viamão, sua terra natal, e também de São Leopoldo e Porto Alegre. Foi diretor da Funarte (Fundação Nacional de Artes) e secretário executivo do Ministério da Cultura.

OS AUTORES

UBIRAJARA DA ROCHA MROS (Bira Mros)

Autor da pesquisa que gerou esta publicação, graduado em Educação Física pela UFRGS, natural de Viamão, professor em diversas escolas do município, em especial a Escola Isabel de Espanha e a Escola Técnica de Agricultura - ETA. Foi vice-presidente e atleta do Tamoyo.

JUAREZ NUNES GODOY (Bode)

Coautor da pesquisa agora publicada, graduado em Educação Física pela Unisinos, também natural de Viamão. Foi professor em diversas escolas do município, em especial a Escola Canquerini, no Capão da Porteira. Foi atleta do clube e ocupou o cargo de presidente do Tamoyo.

TAMOYO

O TIME DE VIAMÃO

Patrocínio cultural

GRUPO COOPERNORTE

VOZ CULTURAL

Libretos

A Prefeitura de Viamão colaborou no financiamento desta publicação com a aquisição de 200 exemplares para as bibliotecas das escolas municipais.

O tratamento das imagens antigas para esta publicação e a produção de novas imagens pelo fotógrafo Marco Nedeff foram serviços financiados com recursos da Lei Paulo Gustavo, através de projeto proposto pela produtora Barra Zen/Juliana Amorim da Silva Bittencourt, no edital organizado pela Secretaria da Cultura/Prefeitura de Viamão.

SECRETARIA DE CULTURA DE VIAMÃO | PREFEITURA MUNICIPAL DE VIAMÃO | LEI PAULO GUSTAVO | MINISTÉRIO DA CULTURA | GOVERNO FEDERAL BRASIL UNIÃO E RECONSTRUÇÃO

Livro composto em Good Headline e Utopia, com 200 páginas, impresso sobre papel couchê 115 gramas, edição em capa dura impressa pela Gráfica Pallotti, de Santa Maria, RS, em agosto de 2024, no ano do 80º aniversário do Tamoyo, o time de Viamão.

ontem goleou espetacularmente